大野　晋著

日本語の教室

岩波新書

800

まえがき

教室といえば、まず講義があり、あとで質問を受け、答えをするという形をとるのが普通でしょう。しかしこの『日本語の教室』は、すべて質問から始まります。岩波書店の編集部の方たちから直接に質問を受け、応答を重ねました。はじめ話題はさまざまでしたが、それが「日本の言葉と文明について」に寄って行きました。

私は少年の頃から、「日本とは何か」という問いをいだき、日本語を通してそれに近づこうとして来た者です。戦前、戦中、戦後の動きも見て来ました。そして現在に至ると、日本人の文明に向かう力が崩れようとしているかに見え、その由来について、私なりの解釈ができるように思われるのです。その私の考えのおよその筋道を語り、率直に日本人の弱点を示し、日本のこれから行くべき道を日本語の観点から述べたいと思いました。

これは狭小な私の視界での話にすぎないのですが。

本書の引用については、韻文を除いて、口語文はすべて新字・新仮名に改めました。（編集部）

目次

日本語の教室

第一部　さまざまな質問に答えて

（質問1）

日本語がよく書ける、よく読めるようになるには、どうすればいいのでしょうか。

これはまあ、何と大きな質問ですね。私に分ることをいくらかお答えしましょう。

ある日勤め先から東急の電車に乗って帰る途中、私は阿川弘之さんと乗り合わせました。阿川さんは、私が大学の一年生だったとき、二年生として同じ教室で久松潜一先生の『万葉集』の演習に一緒に出席していた顔見知りです。話を交わしていると、「僕は今日は朝から「東京へ行く」とするか、「東京に行く」とするかで、ずっと迷っていたんですよ」とのこと。確かに「へ」と「に」とは同じように使うことがあります。私は以前「へ」と「に」の使い方の違いを調べてみたことがありました。そこで私は知っていることをかいつまんで言葉にしました。

調べた結果はこんなことでした。

古い例ですが『万葉集』を見ると、

桜田へ鶴《たづ》鳴き渡る
大和へ越ゆる雁がねは

都へのぼる
筑紫《つくし》へ遣《や》りて

「へ」はこのように「渡る」「越ゆ」「のぼる」「遣る」など移動の動作を導きます。「へ」の上は「大和」「都」「筑紫」などの遠い土地の名が八割を占め、他に「天《あめ》」「新羅《しらぎ》」などもあります。これも遠いところです。つまり「遠い所に向かって移動する」ときに「へ」を使いました。『源氏物語』でも、「へ」は移動の方向を示していました。

ところが「に」にも同じような使い方があります。同じく『万葉集』に、

家に帰りて
韓国《からくに》に渡る
水島に行かむ

とあります。これだけを較べると、「へ」と「に」との間に区別が見えませんね。しかし、

比良の港に漕ぎ泊てむ(比良ノ港ニ停泊シヨウ)
寄する波、辺に来寄らば(寄セル波ガ岸マデ寄セテ来タラ)
家づとに妹《いも》に遣らむ(オ土産トシテ妻ニヤロウ)

という例もあります。この「に」の使い方は、「港に停泊する」「岸辺まで寄せて来る」

「妻にやろう」というのです。つまり「遠いところを目指して移動する」のではなくて、確かな場所に「動作が着いて止まる」ことを導いています。

「に」はこのように「結果として確かな地点や場所に止まって動かない」という意味に使うことが多いのです。「難波《なには》に集《つど》ひ」といえば、「難波」の方向へということではなく、到着する地点が「難波」だと示すのです。ですから「家に帰る」「韓国に渡る」「水島に行く」という場合も、「に」は動作のしっかりとした帰着点を示し、「へ」のように、そっちを目指して行くのとは、ちがっていました。区別は古来そこにあったのです。

「球を庭へ投げる」というと、「球を庭の方へ向かって投げる」こと。

「球を庭に投げる」といえば、「球の落ちて着く場所が庭」ということ。

いずれにせよ、「へ」と言っても「に」と言っても、通じることは通じます。そこで、「机の上へ置いといた」とか、「ノートへ書く」などという言い方が出てきたのです。しかし「置く」「書く」は、そこに落ちつく動作です。だから、「机の上に置く」「ノートに書く」と「に」を使い、

・移動・移行の方向のときは「へ」

・動作の帰着点をきちんと示したいときには「に」

として使い分けると、聞き手も事態をはっきりと受けとることができると思います。

阿川さんは、小説の文脈を考えて、「へ」と「に」のどちらが適切だろうと考えをめぐらしていたのでしょう。それにしても「へ」と「に」という助詞一つに、朝から頭を悩ませておいでででした。つまり作家たちは、みんなそれぞれ、この表現で適切だろうかと、使う言葉にいつも工夫を重ねているんですね。「へ」でも「に」でもどっちでも大体分る、それでいいじゃないか、と考えているようでは、作家でないわれわれも、よい表現、適切な表現、分りやすくて正確といわれる文を書くことも話すこともできない。

その判断を下す力は、その人がどれだけ多くの文例に出会ったことがあるかという、個々の事例の集積の中で養われます。ですから、蓄積が多ければ多いほど、言い廻しを選り分けることができる。それにはたくさんの読書が大切です。というわけで、誰でもいい、気に入った作家の作品をたくさん読むことをおすすめします。

（質問２）

「私のことを打《ぶ》った」とか、「私のこと好き？」とか言いますが、英語ならHe gave me a punch. と言って「私のこと」と余計なコトはつけません。どうして日本語ではコトをつけるのですか。

人は本を読むと、実は、そのセンテンスを一つ一つ心に残すものなのです。そして言葉の使い方の問題を意識すると、その言葉を使ったセンテンスを思い浮かべてみる。「私のこと」が問題なら、コトをつけた文例を心の中で探します。これは無意識にすばやく行なわれる。コトについてはたくさんの例があります。しかし、「私のこと」の場合、どうも他のコトとはちがう。それが何なのか、はっきりしない。こういうとき、私はコンピューターに頼って、明治・大正・昭和の作家たちの「私のこと」の例を探します。すると意外なことが分って来ました。それは二つあります。

一つは次のように、「私のことを」というと、他人が自分を低く扱ったときの表現が大部分だということ。もう一つは、コンピューターに入っている作品の中では、明治時代の作家に多く、大正時代になると例がぐんと減り、昭和の作家の例も少なかったこと。もちろん現在でもわれわれは使いますから、たまたま例が少なかっただけでしょうが、全体の傾向は分ります。

私のことを孤児のようだと仰有《おっしゃ》ったわねえ　（二葉亭四迷『其面影』）
私のことを女郎女郎と長吉づらにいわせるのも　（樋口一葉『たけくらべ』）
私のことをお酌さんなんてひやかす　（泉鏡花『婦系図』）
私のことを豚々って云ってるから　（夏目漱石『明暗』）
私のことを浮気者だなんぞって　（二葉亭四迷『浮雲』）
私のことを軽躁な女だと思っていらっしゃる　（二葉亭四迷『片恋』）
私のことはかまってはおくれでない　（尾崎紅葉『金色夜叉』）

明治文学にはたくさんあります。「あなたのこと」はどうかなと見ました。するとこれも明治文学に多いのでした。大正・昭和になると、がたっと減っています。全体的に見てこの使い方は衰えつつあるらしい。「あなた」はすでに相手をいくらか高く扱う言葉ですが、

あなたのことを想い出すと、荒びた気が自然と鎮まって　（二葉亭四迷『其面影』）
あなたのことは忘れはしないわ　（尾崎紅葉『金色夜叉』）
あなたのことを吹聴致します　（尾崎紅葉『続金色夜叉』）
あなたのことを大変ほめていた　（夏目漱石『道草』）

あなたのことが心配でならない　（島崎藤村『破戒』）

このように「あなたのこと」の例は「忘れない」「ほめる」「心配する」など、相手を立てる表現が大部分です。それが「私のこと」との相違です。そこで、もう一つ比較のためにコトを付けない「私を」「あなたを」を調べてみました。するとその結果は次の表のようでした。

「私を」と「私のことを」とには違いがあった。「私のことを」は自分を低く扱うばかりだったが、「私を」にはプラスの評価、中立の例がずいぶんある。

また「あなたのことを」にはマイナスの評価の例はなかった。ところが「あなたを」にはマイナスの例がある。

それでは、「私のこと」は何故自分を低く扱う結果をひきおこすのだろう。

こういうときには、私は古い使い方から調べます。

コトには昔から「言語」と「行為」という二つの意味があるんですね。「言語」の方は今はコトバといいます。「行為」の方は今でもコトだけでいいます。このコトの一番古い意味の特徴は、「言語」にしても「行為」にしても「約束」とか「任務」、あるいは「儀式」というような、「人間が違《たが》えてはいけない、きちんとする義務を負う言葉、または行

「あなたを」と「私を」の使われ方

	あなたを	私を
プラスの評価	〜恋《おも》っているのは 〜兄さんらしくしたかった 〜愛しているように 〜本位にして立てた議論 〜抱いて 〜信用しておる 〜信じさせて	〜買い被っている 〜頼って来た 〜ほめたのが 〜信頼した 〜愛してくれる
マイナスの評価	〜愚弄したんじゃないのよ 〜今道心にして 〜恨まずにはいません 〜ひどい目にあわせましょう 〜怒らすために	〜いじめ出そう 〜寄せ付けも致されず 〜浮世の捨て物に 〜おなぶんなすったんで 〜棄てんでも 〜何と思召して 〜御存分になさいまして
中立の使い方	〜思う 〜見て 〜射るようなもの 〜別にどうしたということもなくて	〜起して 〜引取って 〜送りの若い衆が 〜連れ出してくれましたの 〜通りこして 〜寝かさなかった 〜睨んで 〜見ている

為」を指す点にある。その意味は後々まで残っていました。
　そこで思い合わされることがあります。しばらく前までは、退職願などに、
　私儀、今般一身上の都合により……
という定型的な表現がありました。これは、
　私事、今般一身上の都合により……
とも書いて、威儀を正して相手に向かう気持を表わした。ということは相手を重んじ自分を低く扱う気持の表現となります。これは中世にすでにあった形式で、室町時代のポルトガル人ロドリゲスの書いた『日本大文典』にも、
　パーデレギワ（伴天連《バテレン》儀は）
と例があり、説明として、
　パーデレコトワ（伴天連ことは）
と同じだとあります。この「儀」と「こと」の意味は、「については」「に関しては」だと、ロドリゲスは『日本大文典』の中のあちこちで説明しています。改めて考えてみると、「儀」とは「儀式、儀礼、婚儀」などとつかうように、形式をととのえ、きちんと順序を踏む作法を表わす言葉です。ですから、これは単に「……に関しては」という意味だけで

なく、伴天連《バテレン》を正式な威儀を整えた対象として話題に載せるという意味をもっていた。同じように「私儀」とは、「私は今、作法にかなうように心づもりをしています」という意味を表わしました。「貴方儀は」の例もあり、これは相手を正式な相手と認めて呼ぶ言い方でした。コトは先に書いたように古くから「きちんとした作法にかなう行為」を表わす用法があったので、「私こと」とは「私儀」と同じ意味を表わし得たのです。

すると、「私こと」は姿勢を正して相手に向かっていることを示し、みずから自分を低く扱う気持の表現だったのです。

それで「私のことを」は、女性に例が多く見え、例文のように自分を低めた言い方になり、「あなたのこと」と「こと」をつければ、正式に相手を高めることになったのだと思います。「私のこと」「あなたのこと」という表現は、コンピューターで調べた範囲では明治時代の作品に圧倒的に多く、大正には少なく、昭和の文学にも少なかった。それは人間の上下の意識が時代とともに薄くなって来たこと、人間は平等という考え方が広まったことを反映するもので、相手を高めたり、自分を低めたりする言い方が減って来たことと関係が深い。「私のこと好き?」と女性が男性に言う表現に対して「女性が自分を低く扱ってよくない」という意見をお持ちの女性もあると聞きましたが、「私のこと」の歴史を顧みると、そういう意見の出る由来も分るような気がします。

これまでお話しした「へ」と「に」の問題、「私のこと」の問題で見たように、言葉の使い方に関心を払うなら、まずたくさんの例を頭の中で吟味してみることが大事です。だからたくさん読んで、言語表現を心の中に多く蓄えることをおすすめしているのです。

（質問3）

いつも気になっていることがあるんです。それは仮定のことを言う時に何故過去形を使うのかということです。つまり、仮定の場合に「雨が降る」のは未来のことであるにもかかわらず、それを「もしも雨が降ったら」と過去形を使います。これはどういうわけなのか、ということです。

このように過去形を使うのは、日本語だけではないんですね。英語にもあるように見えます。私が中学二年のときの副読本は第一章が"If I were a boy again"という題でした。予習の際、何だろうと思って、辞書を引きました。するとwereについてむつかしいことが書いてありました。「beの複数過去形、または二人称単数過去形(仮定法の場合には単数または複数)」。そこでbeの項を見るといろいろな例文をひいて詳しく書いてあったのですが、さっぱり分りません。友人の父君に質問して、「もしふたたび少年になったら」ということだとようやく分りました。英語でも日本語でも同じように仮定のために過去形を使うのでした。ただ、どうして過去形を使うのかについては、たいていの文法書には説明は書いてないらしい。

仮定の場合に、「もし雨が降るなら、休みにします」と現在形を使って言うこともできます。しかし、普通は「もし雨が降ったら」と過去形を使う。「雨が降れば」とも言います。この場合、「降れ」という形は、本来、ものごとがすでに成り立っていることを示す已然形です。だから「降ったら」に近い。

「降るなら」と言うと、自然の成り行きで雨が降るように聞こえて、なにも引っかかるところがない。ただそれだけという感じがします。一方、「降ったら」と言えば、「降った」というのは確実な事実として認識されますから、まずそれを確立しておく。事実として確定しておいて、それに未然形「ら」を付けることで、逆転させてはっきりと仮想の意味合いを印象づけるわけです。

さらに、過去の事実に反する仮定を言うときには、二つ過去を重ねて、「降ったのだったら」と言います。また、「あのとき雨が降っていたら、行くはずないじゃないか」とも言いますね。この場合の「降って」の「て」は、もとをたずねると昔の完了の助動詞「つ」の連用形なのです。ここでも「て」と「た」と二重になっています。つまり、過去の事実に反する仮定を言うときは、「た」を二度繰り返したり、完了と過去とを繰り返して使うのだと思います。

これはおそらくは人間に一般的に共通な意識で、日本語だけでなくヨーロッパ語にもあるのでしょう。ギリシャ語、ラテン語から始まってヨーロッパの諸言語には、事柄を事実として述べる直接法という形と、事実に反する仮定など事柄を想像上のこととして述べる仮定法という別の形があり、日本語よりもさらに複雑な語法を持っています。英文法の教科書などを見ると、「もし私が鳥であったら」という文章は、“If I were a bird”と書いてあります。しかし、いまでは口語ではふつうに“If I was a bird”と言うそうです。

大体、時をどう把握するか、把握の仕方はそれぞれの言語で相違します。また一つの言語の中でも時代によって変化します。ヨーロッパ人は時を客観的な長さを持つと見たらしく、過去と現在は明確に区切りをつけて把握し、それを表現するらしい。ところが日本語では時を主観的にとらえていました。だから日本語では、未来とは「話し手の漠然とした予想とか推測」でした。「雨降らむ」といえば、未来であるよりは予想です。また過去については「話し手の確かな記憶がある」ときには「き」を使い、今気がついたこと、つまり「気づき」を表わすときには「けり」を使って区別しました。

　雨降りき(雨が降った「コトガ記憶ニタシカニアル」)

と記憶にあることには「き」を使い、すでに起こったことであると今になって気づいたときには、

雨降りけり（雨が降った［ト今気ガツイタ］）

と「けり」を使いました。現在、「明日は東京へ行く日だっけ」と言いますが、この「け」はここにいう「けり」の子孫で、「気がついてみると……だ」ということを表わします。

現在では過去を表わすには「た」を使います。

雨が降った

これが代表的な使い方です。ところがこの「た」は、

（探していたものが）ああ、ここにあった、あった

とも使い、

ああ驚いた

とも使う。これは過去のことではなくて、現在の目の前のことです。「あった、あった」の「た」は確認とも見られますが、気づきとも見られます。「ああ驚いた」の「た」は現在も驚きの感情が持続していることを示しています。つまり「た」は、純粋の過去にも、現在の確認にも、気づきにも、持続にも使うわけです。それはどうしてか。

古文の表現法では、時に関して現在よりももっと表現法が豊富だったのです。

雨降りき(雨ガ降ッタ記憶ガアル)……記憶
雪降りけり(雪ガ降ッタコトニ気ガツイタ)……気づき
雨もやみぬ(雨モスデニ止ンデイル)……完了(自動詞につく)
野島は見せつ(スデニ野島ハ見セタ)……完了(他動詞につく)
梅の花咲けり(梅ノ花ガ咲イテイル)……完了持続
月は照りたり(月光ハ皎々《コウコウ》ト照ッテイル)……完了持続

このように六種もあって、使い分けていましたが、中世の混乱期に言語の規範を守る意識がゆるみ、この六つのうち、五つが次第に使われなくなり、一つだけ「たり」が残ったのです。さらにこの「たり」の「り」が落ちて現在の「た」が成立しました。ですからこの「た」は、時について、すでに亡びてしまった表現法が以前区別していた、記憶、気づき、完了、持続などの意味を背負い込んでいます。その結果、「あった、あった」「驚いた」などの「た」が、気づきとか持続の意味を荷《にな》っているわけです。現在では「た」だけでは完了を表わすのに不足を感じて、明治時代以後に「てしまう」あるいはそこから約《つま》った「ちまう」を使い出しました。「壊してしまった」とか、「やっちまえ」などがその例です。

私たちが「た」を「過去形」と考えてしまうのは、英語教育のせいなのかもしれません。英文法の授業で過去形や未来形という区別の仕方を習うので、その形式に合わせて「行った」の「た」は過去だけなのだと思ってしまう。すると、過去形が「あった、あった」のように現在に使われているのは変ではないか、という問題意識が現われて来る。

「ああ驚いた」の場合は「驚いている」の意味で、これも過去を表わしているわけではありません。現在のことを言っているのです。現代日本語の「た」は、過去のこととして記憶にあるということ、今気がついたということ、今も確かにその状態にあるということ、それらの意味を併せて表現する形なんです。

（質問 4）

『日本語の起源 新版』には、日本語は南インドのタミル語から来たとあるそうですが、そんなに遠い国の言葉が、二〇〇〇年も前にどうして古代の日本に来たのか。ちょっと信じられません。どうしてそういう意見を持つようになったのか、お話し下さいませんか。

これまでの経過をはじめからお話ししましょう。

古代日本語はどこから来たのかというような長らく解けなかった問題に一つの答えが出るときには、二つの場合があると思うんです。一つは、昔から推測されていた地域の言語を忠実に研究して行って、ついに日本語との関係の立証に至る場合です。もう一つは、偶然のことから従来一般に問題にされなかった言語に気がつく場合です。例えばレントゲン線発見の話は有名ですね。一つの実験を行なっていたところ、無関係と思われる、少し離れた机の上にあった白金シアン化バリウムを塗ったスクリーン用の紙が、放電するたびに明るい蛍光を発する。これは何か目に見えない未知の放射線が働いているにちがいないと、そこから研究を進めてレントゲン線を発見したといいます。もちろんレントゲン氏は物理学の専門家として関係のある研究をしていたのですが、これはいわば偶然の発見だったということです。

私がタミル語という、自分でも正体を知らない言語が日本語と関係しているだろうという見込みを持ったのも、一つのきっかけからでした。一九七九年、学習院大学では江実《ごうみのる》先生に日本語の系統の講義をして頂いていました。先生はアルタイ語のすぐれた研究家として知られ、『蒙古源流』の翻訳などもされて、日本語の系統の探求に努力しておいででした。その結果は、「蒙古語からは(日本語と対応する)単語は出ないよ」ということでしたが、ある日、江先生が言われるには、「南インドのドラヴィダ語族は文法の構造が大体日本語と似ている。だからこれは要注意なんだ。ところでこの間そのドラヴィダ語族の中のテルグ語のテープと教科書を売りに来たが、大野君、やってみる気はないかね」とのこと。ドラヴィダ語の地域は、インド亜大陸の南端を占めていて、その総人口は一億二〇〇〇万人といわれています。テルグ語は、その東北部に位置します。

私は「日本語と関係の深い言語は南方にあるだろう」と旧版の『日本語の起源』(岩波新書、一九五七年)に書いて以来、南方に心を寄せていましたから、気持が動いて、おいくらかを伺うと、二八万円とのこと。ずいぶん高いものだと思いましたが買いました。そして解説書を読むと、たしかに文法構造はアルタイ語とも日本語とも似ている。

そこで辞書が必要と思い、日本橋の丸善に訊いてみました。すると「テルグ語のは今ありませんが、テルグ語を含むドラヴィダ語の辞書ならあります。注文ならば店までおいで下さい」という。そこで丸善に行き、「ドラヴィダ語の辞書をお願いしたいのですが」と頼むと、係りの人は奥に引っ込みました。しばらくすると、一冊の辞書を持って出て来ました。「これはカバーが破れておりますから新規にご注文下さい」という。私は本のカバーは棄ててしまう習慣ですから、カバーが無くて十分でした。それを手に入れたこと、これが私のタミル語研究にかかわる第一の偶然でした。

帰りの電車の中でオクスフォード刊のその辞書を、ちょっとあけて見て行くうちに、私は緊張しはじめました。アイヌ語、朝鮮語、満州語、蒙古語、レプチャ語など、辞書だけなら何種類も読んだことがあります。すでに朝鮮語からは一五〇ほどの例が指摘されていますが、他のどれからも日本語の古語に類似する単語を含むものを見つけることは、ほとんど不可能だった。この『ドラヴィダ語語源辞典』は、ドラヴィダ語族に属するタミル語とかマラヤラム語とかカンナダ語、テルグ語など南インドを中心にして二十余りの言語を扱っている。まず一つの基本となる単語を項目に立て、その基本語と同じ仲間と見られる単語をその項目のもとにまとめ、それぞれの単語の語形と意味が一覧できるように並べてある本でした。項目は五〇〇〇あまり。それを見て行くと、今までに無かったことが起きた。どう見ても日本語と似た形と意味をもつ単語が点々とある。

電車の中でも家に着いてからも、私は吸いつけられるようにページを繰った。ドラヴィダ語族の中で、テルグ語よりもその南隣りにあるタミル語の方に、日本語と意味も形も似たものが多い。タミル語は使用人口が五〇〇〇万人を超す大言語です。類似が一目で分る単語の例を掲げます。一つ一つ見較べてみて下さい。

タミル語と日本語の対応の例

タミル語	意　味	日本語
ur-u	熟る	ur-u
uḷ	裏	ur-a
ūṭ-u	内	ut-u→ut-i
kaṭṭ-u	堅	kat-a
kār	辛	kar-a
kir̤-i	切る	kir-u
kur-u	栗	kur-i
tak-ar	高	tak-a
taṭ-i	絶つ	tat-u
taṭṭ-u	叩く	tat-aku
tār̤	垂る	tar-u
tār̤-i	樽	tar-u
tuk-ai	(米を)つく	tuk-u
paṟṟ-u	貼る*	far-u
par-avu	祓ふ**	far-afu
pāv-u	這ふ	faf-u
puṇ-ai	船	fun-e
poḷ-i	掘る	for-u
mir̤-i	見る	mir-u
muc-i	むしる	mus-iru

* p は日本語の f にあたる
** v は日本語の f にあたる

ここには二〇語挙げましたが、日本語とほとんどそっくりの単語があることが分るでしょう。こんなことは私の見たどの言語についてもついぞ経験がない。『ドラヴィダ語語源辞典』は世界の研究者がみんな使っている、基本的な、確かな本です。挙げたこれらの単語は、その辞典にあるままの形です。手を加えていません。

しかし辞書だけでは単語の意味の理解に限度がある。そこで私は一語一語をもっと詳しく吟味する必要を感じました。私は『岩波古語辞典』の奈良・平安の部を受け持ち、一九五五年から七四年まで二〇年をかけたことがあります。つまり古典語二万語については一語一語調べたことがあった。それと同じ厳密さでタミル語を扱いたかった。

私はインド大使館に電話をかけました。「大使館にタミル語を話す人はいますか」。返事はイエスでした。それはガナパチさんという課長さんで、わけを話すと、「タミル語は僕の mother tongue(母語)だ。教えてあげる。すぐ来なさい」とのこと。私は例の辞書を小脇にかかえて、すぐ九段のインド大使館に行きました。ガナパチさんにお会いするや、辞書を開けて「ここにこういう単語があるが、もっと詳しくこれのニュアンスを教えて下さい」と質問を始めました。二つ三つしたのですが、彼はどれも説明できません。「いや僕はこの十八年間タミル語を話したことがないんだ」。つまり英語だけで暮しているのですね。「今度の日曜日にタミル語に詳しい友人を集めておくから、僕の家においでなさい」と彼は地図を書いてくれました。

私が約束の日に彼を訪問すると、三人のタミル人が来ていました。ガナパチさんにしたと同じ質問を繰り返しました。するとタワラジさんという方が一番詳しく一語一語解説してくれる。彼はタミル語の古典語の知識があったようです。そこで以後、毎週日曜日に桜上水のタワラジさんを訪問して次々に質問しました。タワラジさんは経済の研究のために単身来日、アジア経済研究所に通っていたのでした。

タワラジさんは、私の関心が古代タミルにあることを理解したらしく、ある日こんな話を私にしました。「タミルにはヒンズーよりも古い祭がある。それは一月の十五日にする祭で、赤い米を炊いてそのお粥を食べる」。

え？　何だ？　という思いが走りました。私の家では一月十五日に小豆粥《あずきがゆ》を炊いて食べるのが習慣だったからです。私は反射的に尋ねました。「お砂糖と一緒に食べるのですか」。“Yes, with sugar or sugar cane.”（そうです。砂糖か砂糖きびと一緒に）。私は不思議さに包まれました。そのお粥は私の家ではお砂糖をかけて食べるのが例で、あんまりおいしいとは思えないものだったのです。昔は御馳走だったでしょうが。

一月十五日、赤いお粥、砂糖。これは単なる偶然だろうか。この一致は何なのか。いろいろ考えました。単なる偶然かもしれない。しかしこれは遠い南インドと日本との、それこそ遠い古代の何かの深い関係の一つの象徴なのかもしれない。

自分の見つけたタミル語と日本語との共通が本当に確かなのか、古代にさかのぼって全体として検討しなければならない。私はインド大使館のガナパチさんに頼みました。「インドの大学の誰かいい先生を推薦して下さいませんか」。ガナパチさんはすでに自分の出身のマドラス大学の学長に大野のことを報告していたそうです。「それにはマドラス大学のポン・コダンダラマン教授が適当だから、彼のところに行きなさい」。

私は一九八〇年四月、初めてインドに行きました。マドラスに着くと、翌日コダンダラマン教授は自分からホテルに訪ねて来てくれました。初対面の挨拶もそこそこに、私は『ドラヴィダ語語源辞典』から選び出したタミル語とヤマトコトバの対照表二〇〇語あまりを収めた表、つまり先に掲げたような単語よりもっと多くに詳しい説明をつけた小冊子を示しました。コダンダラマン教授は黙って一語一語を順に見て行きます。私はそれを凝視していました。彼は一言も発せず長い間ページを繰り続け、最後まで見終わった時、私に向かってひとこと、“We must proceed with this work.”(我々はこの研究を進めなければならない）と言いました。
その何日か後、彼は私を案内して学長のところへ連れて行きました。するとその日の夕方、学長から「今はもう揃わないが、お役に立つと思う」という手紙と共に、五冊の"Tamil Lexicon"がホテルの部屋に届いたのです。全部で七冊なので二冊足りないものでしたが、これは世界のタミル研究者の求めているタミル語最大の辞書、十万語を収めた辞書です。第一の関門を通った私は、前途に光を感じながら帰国しました。

私は『万葉集』や『日本書紀』の注釈を書き（日本古典文学大系）、『岩波古語辞典』の仕事をしたおかげで、日本語については個々の単語について調べていました。それを人にたとえれば、二万人に一人一人面接したことに当るわけで、個々の顔つき、性格についてやや詳しく認識していましたから、タミル語の形を見て、そこに英語で書いてある意味を読めば、あまり困難なくそれに対応する日本語を思い浮かべることができた。しかし、タミル語の文を分析して行くなどということは、まだ不可能でした。私の研究はその後も『ドラヴィダ語語源辞典』を詳しく読んで、タミル語の単語と日本語の単語の意味と形を照らし合わせる程度の段階でした。

それにタミル語の発音が、当時すでに六〇歳になっていた私には、身につきそうにありません。というのはタミル語はｒとｌに関して五つの区別をもつ言語でした。英語のｒとｌの二つで苦労している上に、r̤、ḷ、ṟという三つの区別が加わるのです。文字の上では見分けられても、実際に舌と声でそれを区別することは難しい。つまり私はタミル語を話すことができず、私の研究はいわゆる「机上の研究」にならざるを得ませんでした。

　それでも私は古いタミル語と古代の日本語の単語の比較を、雑誌『言語』に頼んで載せてもらい、一九八〇年の一月号から九カ月間連載しました。日本語の比較言語学に関心を持つ人たちの間では、その単語表は「似ていすぎる」と批評されていたそうです。その頃、芝蒸《すすむ》さんから「日本語とドラヴィダ語」という論文をすでに一九七三年に書いているという手紙と、その論文を頂きました。また、藤原明さんという方もドラヴィダ語を研究していると知りました。私は広く「ドラヴィダ語族と日本語」とは扱わずに、その中の一言語であるタミル語と限定して日本語との比較研究を進めたのです。広くドラヴィダ語として、多くの言語を包み込むと、単語の比較の段階では材料が多くていいけれども、変化形の多い助詞・助動詞を扱う段階になったら混乱すると予見したからです。また、タミル語は紀元前後の古い詩歌をもっているめずらしい言語だと分ったからでもあります。

研究をして行くには「見通し」ということが大事です。それは一瞬のひらめきによってずっと先の像が頭に描き出されることです。もしその見通しが正しければ、データの方でその見込みの延長線上に、向こうから飛び込んで来ます。ああこんなことまでここに収まるのだ、と思うことが具体的に現われて来ます。見通しが悪いと、その見込みの線から外れるデータが続々現われます。私は以前「定家仮名遣」の研究でそのことを実感していました。研究を始めたばかりの自分にはタミル語の全貌はもちろん見えていたわけではなかった。しかし、見込みの線の上に乗るデータが着々と殖えていました。この分では、今は判らないことでも、いずれ解ける方向へ行く。

八〇年の初夏の頃、NHKが訪ねて来ました。「現地へ行って調査をしないか」というのです。私の研究は二〇〇〇年以上前の言語を知りたいというのですから、現地へ行っても仕方がないと思いました。しかし、例の一月十五日の行事を再現してもらえるなら、それは見たい。私はNHKのチームと秋になったらタミルに行くと約束しました。

南インドの奥地まで行くと聞いて、虎や大蛇が出てくるのではないか、わるい病気があるのではないかなどと、今思えば失礼な心配も心の中を過《よぎ》りました。しかし行ってみると、大都会では人々が朝早くから満員のバスの外にぶらさがって通勤しているし、農村では静かな平和な生活が営まれていました。

一月十五日の行事を再現してもらいました。村長夫人の炊き上げたお粥を皿に盛って屋根の上に梯子で登り、コウコウとカラスを呼んでそのお粥を供える。同行してくれた松原孝俊君(現九州大学教授)が、「あっ、カラス勧請《かんじょう》だ!」と叫びました。一月十五日にカラスに餅を投げる行事を民俗学で「カラス勧請」というそうです。帰国してから柳田国男の『歳時習俗語彙』を見ると、日本の一月十五日の小正月の行事が詳しく書いてありました。後で次々に判ったのですが、南インドの一月十五日のポンガルの行事と、日本の小正月の行事との間には十五項目にわたる共通があるのでした。例えば日本では各地でトンドといって一月十四日の夜、古いものを燃やす行事があります。南インドでも一月十四日の晩に古い物を焼く。また青森県では一月十五日にホンガホンガと唱えて糠《ぬか》を撒《ま》いて家を廻る行事があったとか。南インドでも一月十五日に pongalō pongal と唱えて家の廻りを練り歩く、などなどです。ホンガの古形は日本古語ではポンガですし、菅江真澄の『すわのうみ』の天明四年(一七八四年)の記事によると、長野県の諏訪では一月十五日の夜、ホンガラホと言って廻ったとあります。ホンガラは pongal ときれいに対応しています。

NHKと同行したときには、デリー大学で日本語を教えているタミル人ラーマ女史が付き添ってくれて、農村をめぐりました。ラーマさんは日本に二年留学したこともあり、英語と日本語とタミル語の堪能な人でした。

一つ例を挙げましょう。タミル語に paṭukar という単語があります。辞典には rice-field, agricultural tract(米作の田畑、農地)とあります。これは日本語の fata, fatake(畑)に当ると見られます。私はその実体をつきとめたいと、パラニ高原の農村地帯に行ったとき、所々で働いている農夫たちに質問しました。ラーマさんの通訳によると答えは四種類ありました。

①高い丘と低い湿地の間。②粟などを作る所。③稲を作る所。④川辺の泥の土地で稲が肥料なしで実る所。

こんなに異なる答えが返って来たので、私は困惑しました。しかし考えてみると、要するに米や粟などの「穀物を作る場所」ということです。それを日本語は「畑《はた》」「畑《はたけ》」として受け入れたと考えました。日本にも陸田はありました。

帰国してその年が暮れる頃、一通の招待状が舞い込みました。一九八一年一月、タミルの古都マドライ市で第五回世界タミル学会が開かれる。その時に一時間の講演をしないかというのです。世界タミル学会とは、世界中からタミル研究者が集まって、多方面の研究を発表する大規模な学会です。多分、大野の意見が現地で話題となっていたのでしょう。私は承諾しました。

その学会で日本語とタミル語の二〇〇語を超す単語の比較表を配り、併せて文法構造の近似を解説しました。比較研究の第一歩です。とにかく七〇〇〇キロ離れた日本語とタミル語とに関係があるという、聞いたこともない話なのですから、会場の人にどれだけ理解されたか分りません。

私はその機会に、タミル語の専門家、チェコのカレル大学のヴァツェク教授に私の単語表の批評を求めた。彼は三晩にわたって一語一語の吟味をしてくれ、かなりの数の単語を疑問としました。その時特に感じたことは、二つの単語を比較するときの一つ一つの音の対応について、日本の一般とはちがってヨーロッパの学者がいかに厳しいかということでした。それはその後の私の研究に大きな指針となりました。

その学会にはスリランカのジャフナ大学のサンムガダス教授とその夫人も出席していて、私の講演を聞いたそうです。二人はタミル語の古典、サンガムの専門家でした。サンガムとは紀元前二〇〇―紀元二〇〇年の間の二四〇〇首の歌を集めたタミル語最古の歌集です。会場で大野の挙げた単語の大部分がサンガム時代の古語か現代の方言かのどちらかの単語だということに二人は気づいたそうです。

一九八一年から八二年にかけて、私はインドに留学する決心をしました。コダンダラマン先生に古典語の文法を習いたいと思ったのです。その前提として一年間の留学が可能という条件が整うかどうか考えました。すると、マドラスのホテルにはインド料理だけの所が多いが、中にヨーロッパ料理と中華料理と併せて三つの食堂を持っているホテルがあることが分りました。インド料理は辛くて私には食べられませんが、そのホテルなら、他の二つの食堂で三食食べられます。そこは当時のインドに多かった断水も停電もないことが分りました。これなら長期の滞在が可能です。

一九八一年の冬、私はインド留学に出かけました。そして“Tirukkuṛaḷ”という有名な古典を習い始めました。

すると間もなく『週刊文春』に大野攻撃の文章が載ったというしらせを受けました。当時郵便物は日本と南インドの間では、航空便でも十日かかりました。次週の号が発売になっても、インドでは前号に何が書かれたのかさえ見られません。電話は、そのころは申し込んで四、五時間待ちでようやく蚊の鳴くような声が聞こえるという状態でした。

待っていた週刊誌を手にして見ると、攻撃の言葉は激しいのですが、私の研究の意外性に刺戟された非難で、研究の誤りの具体的指摘はほとんどありません。しかし応戦はままなりませんでした。

私は自分の発表した単語表が批判に耐えないかどうかを、ホテルの机上で何回も吟味しました。私の研究の届いている範囲は狭い。しかしどう削っても残るものは少なくない。これだけ多くの対応語は今まで調べたどの言語にも無かった。私の主張が全滅することはありえない。それでも誰一人私を理解し、味方と頼める学者はいない。

誹謗は度を加えました。私は考えました。今私にとって必要不可欠なことは何か。自分の研究を行けるところまで進めること。すでに六〇歳を越えていて余命はいくばくもない。この研究は古代日本語が分っている人間でなければできない。自分のこれまでの研究を、私は自分のぎりぎりの研究だと思って来た。しかしそれらの仕事で得た古代語二万語の知識は、実は今のこの研究、日本語とタミル語との比較研究のための準備だったのだ。研究はこれからである。そう考えて私はこの攻撃をやりすごすことにしました。結局大野の説はあやしいものだと世間一般にとられるようになったようです。その頃、心配して丸谷才一氏、森本哲郎氏、井上ひさし氏たちがいろいろな助力、激励を与えてくれました。私の原稿はどこへ持って行っても「あなたのは駄目」という応対でした。

その中で一九八三年の春、至文堂の佐藤泰三社長は、タミル語研究を連載するために『解釈と鑑賞』誌上に紙面を作ってくれました。佐藤氏は言ったのです。「一体あのタミル語研究とやらは大丈夫なんですか」。私は「大丈夫だよ」と返事をしました。すると佐藤氏は「それじゃ、やりましょう」と快諾し、その連載は以後十六年余り、佐藤氏の死去の後にわたってひきつがれ、一九三回まで毎号つづきました。


それだけではありません。お話ししたでしょう。研究には偶然が舞いこむことがあるということを。第二の偶然が私の上に起こっていたのです。

マドライで私の講演を聞いたサンムガダス教授夫妻が一九八三年三月、国際交流基金の援助で来日し、学習院大学で共同研究することになりました。学習院大学は以後十年間タミル語研究のために研究室を一つ使わせてくれ、ある年には研究費の配分もしてくれました。また個人的に支援を与えられた人々もありました。サンムガダス教授は、サンガムの詩の韻律の研究でイギリスのエディンバラ大学で学位を取った人でした。

その頃、タミルの古典文学の語彙索引はありませんでした。私は例によって、単語一つ一つのニュアンスを夫妻に尋ねます。すると、ことにサンムガダス夫人は質問にはきはきと答えてくれました。私が一つのタミル語を示して、「これは古いですか」と尋ねると、「サンガムにあります」とか、「六世紀ごろならあります」などと、反射的に答えが返ってくる。この二人は古典文学サンガムについて、予想を超えて造詣《ぞうけい》の深い研究者でした。

サンガムの原文は、第一回のインド訪問のとき、コダンダラマン先生が私のために買い集めてくれた一揃いがあったので、「この単語の文例を探してください」と求めると、何日か後にはサンガムから数例の文が用意されます。私はまず例文の大意を説明してもらって、あとは辞書で一語一語吟味して、逐語訳を書き込みます。それを夫妻に語って私の理解をたしかめ、例文の翻訳の原稿に仕上げました。

十万語を収める“Tamil Lexicon”すらも、サンガムの単語の半分くらいしか収めていません。とても辞書をたよりに独学でサンガムを読もうとしても無理でした。サンムガダス夫妻は私にとってwalking dictionary(生き字引)だったのです。結局この二人が交替で十年間日本に滞在し、共同で研究しました。そのうち、夫人の方は日本語をテレビで覚え、字も書けるようになり、私は一度も日本語を教えなかったのに、彼女は日本語で会話するようになりました。彼らタミル人にとっては日本語は発音も易しく、文法も基本的に同じで、とても学びやすいようです。しまいには彼女は『万葉集』を日本古典文学大系の私の口語訳で理解し、その一〇〇首をタミル語の五七五七七の形式に翻訳し、国際交流基金の援助によってインドで出版しました。その後も、彼女は『万葉集』の巻十一の全部をタミル古典語で翻訳してインドで出版し、インドの中世に書かれたサンガムの注釈書の誤りを論じた研究で学位を取得しました。それは日本にいる間になされた研究でした。

偶然とはこのことです。彼ら walking dictionaries が自分で歩いて日本に来たのです。こういう人をインドで探し求めても、まず得られないでしょう。それに彼らは島であるスリランカ北部の育ちなので、タミルの古い慣習――インド本土ではすでに失われている慣習――例えば妻問い婚の習俗なども島には残っていて、それを実地に知っているという、類《たぐい》稀れな人たちでした。そうして彼らは私の求める単語の例文を古典語サンガムの歌から捜し出し、説明してくれました。その結果、私の研究は次第に深く進み、助詞や助動詞にも対応があること、日本語の係り結びもタミルの古典語にあること、五七五七五七……七という長歌の形式、五七五七七という短歌の形式もタミル語にあることが判明した。

助詞・助動詞が対応することは、単なる単語の借入れとは性質がちがう。その二つの言語の深い関係の証拠となります。私は一九九四年にそれまでの研究をまとめて、分りやすい形で『日本語の起源　新版』（岩波新書）を出しました。その間に私は南インドに何回も行き、コダンダラマン教授の指導をうけ、研究は考古学にまで拡大しました。

一九九九年、『ドラヴィダ語語源辞典』を手に入れてからちょうど二十年目に、私はタミル人のタミル語学者十一人を日本に招待し、十日間にわたるセミナーを学習院大学で行ないました。出版の予定だった『日本語の形成』の校正刷りを配布して、そのタミル語の引用箇所を材料にタミル語の音韻と日本語の音韻の比較と、文法上の助詞・助動詞の比較について、連日私は説明しました。インドからアゲスティアリンガム教授、シャンムガム教授以下、第一線の研究者たちが来てくれた。アゲスティアリンガム教授はタミル語学界の第一人者で、私がインド滞在中、コダンダラマン教授同道のもとに一度お会いしたことがあった方です。その時も、私は大体を説明したつもりですが、ほとんど理解を得なかったことを、同教授も私も覚えていました。『古代タミル語文法』という大著もあるアゲスティアリンガム教授をはじめ、インドの学者たちはセミナーに出席を承諾したものの、よりより集まっては、意見を交換し、この奇妙な説にどう対処するか相談をしていたとのことです。日本人の若手のドラヴィダ語学者——大野の研究を批判された方たち何人かにも私は招待状を送ったのですが、大部分は欠席でした。

インド人学者たちは、十日間にわたる大野の説明を聴いて、タミル語の特質と思っていたいくつかのことが、実は古代日本語にも共通であることを次第に認識したようです。

セミナーの中で、彼らは私の引用文の十例くらいを不適切だと指摘しました。私は指示に従い、それらをすべて削除した。傍聴していたジョン・ソルト氏(アメリカ人、前アーメスト大学日本文学助教授)は「連日の討議は法廷でのやりとりのようだった」と述べました。彼らは、最後の日の各自のコメントにおいて、大野の研究に賛意を表し、祝福の言葉を述べた。この時のアゲスティアリンガム教授のコメントは、『日本語の形成』(岩波書店、二〇〇〇年)に付録として収めました。

私のタミル語研究については、それ以前からオランダのK・ズベレビル教授が終始好意ある支持をしています。彼の『ドラヴィダ言語学』(インド、ポンディチェリ刊、一九九二年)の中でわざわざ「日本語との比較」という章を設けて、七ページにわたり大野の研究を論評しました。『日本語の形成』を呈上したとき、国語学者ではただ一人、金田一春彦氏が、今までのアルタイ語説やチベット語、あるいはオーストロネシヤ語説よりは、はっきりすぐれていると思うという書簡を寄せてくれました。大野の説に理解を公にしたのは、むしろ経済学とか精神医学とかの専門家でした。

日本の言語学者の中で、長年にわたってタミル語についてだけでなく、大野の研究に論難を加えて来られた村山七郎氏の一九九三年の年賀状に「いろいろの論文を拝見しています。今後の研究のご発展を心から祈ります」とありました。私は村山氏に手紙を送り、学習院大学でお会いしませんかと書きました。帰国を前にしたサンムガダス夫人を村山氏に一度引き合わせたいと思ったのです。私は研究室に見えた村山氏とサンムガダス夫人と三人で話し、私の研究が前進できたのは、すべて彼女と夫君の協力によることを説明した。村山氏は「謎がとけた」という面持ちで会話に加わって帰られました。

（質問５）

そんな遠い南インドの言葉が日本語と関係があるとすれば、途中どこか中継地になるような言葉がないとへんです。そうした場所はどこかにあるんですか。

研究には大事なことがあるんですね。研究には順序が大事なんです。AとBという国が非常に離れていたとしても、もしその二つの国の言語が、文法の構造も共通で、単語も共通するものが多かったら、まず、その事実を確かめること。その結果が偶然とはいえないだけ確実なら、その二つの言語は、いつとは分らなくても、昔、何かの理由で関係があったに違いないと認めること。それが第一番目の仕事です。その次に、それはいつのことだったか、あるいは何故だったか、交通路はどこを使ったかを研究する。それが分らないからといって、第一の事実を打ち消すことはできない。事実の確認がまず大切で、事実の発生の原因や経過は二番目の問題。それはそれとして別に研究を重ねるべき問題です。

一例を出しましょう。アフリカの東南部にマダガスカル島があります。マダガスカル島の言語は、インドネシアの言語と文法も単語も基本的に共通だと世界の言語学界で認められました。これで一番目の事実は確定です。では一体、人はその間のインド洋の長い距離をどう進んだのか。ジャワ島のジャカルタから、マダガスカル島の海岸までは直線距離で六五〇〇キロあります。直行したのか。陸の海岸づたいに行ったのか。これが二番目の問題。それはなかなか決定できないでしょう。しかし、二番目が決定できないからといってマダガスカル島の言語とインドネシア語との関係の存在という一番目を否定したら、それは誤りです。

インド南端のタミルと日本との間は七〇〇〇キロあります。その間をどう行ったのか。南インドと日本との交通は、陸路と海路とが考えられます。陸路は途中に高い山もあり、川もあり、どの道を通っても、途中には別々の言語を話す、それこそさまざまの民族がいます。それを経て来たと仮定すると、どうしても途中の民族の言語が交ざるはずです。それはタミル語の原形を変え、先の表で示したような、ほとんど同一の形をした日本語とタミル語の対応語の存在をはばみ、日本語とタミル語の音韻の対応を混濁させるにちがいありません。ところがタミル語と日本語とを比較すれば直接的に明瞭に対応が成立します。さまざまの変化を経た結果が対応するのではありません。こうした鮮明な対応は、途中で障害がなく、むしろ直接的な関係だった結果と推測する方が妥当と思われるのです。

そこで海路という考えになります。

こういうことがありました。

もと航海士として世界一周を三回経験された岩田明さんは、中東のシュメールと東南アジアとの関係に注目しておいでででしたが、ルーブル博物館に保管されている粘土板に楔形文字で刻まれた、一隻の帆船の製造のための材料表(使う板や木釘などの数の表)を手に入れ、翻訳されたそうです。南インド、ケララ州のインド洋に面したベイポールの造船会社に、その表にある材料を全部使った帆船を復元製造することを依頼しました。出来上がった船は全長十五メートル、二枚の帆を張ったものでした。みずからキャプテンとして乗り込み、七人のタミル人と共にそれを操って一九九二年三月十七日南インドを出発。スリランカを経てシンガポールに至り、北上して台湾の基隆《キールン》に寄り、沖縄の久米島沖で六月十七日突然の三角波によって転覆するまで航海できた。これは南インドから日本への帆船の直接の交通が可能であることを証明する実験でした。その船はその後横須賀の公園に展示されていたとのことです。

また最近、麗沢大学の服部英二教授に伺った話によると、マレー半島の中央の細い部分には、ベンガル湾側と南シナ海側にそれぞれ港があった。そしてその二つの港の間を結ぶ二〇キロメートルあまりの山道があった。そこは象に荷物を負わせて運んだ。そこにいたインド人はタミル人だった、ということです。それは中継点の一つの候補地です。もしマレー半島の中途を突っ切ってタイ湾の南部へ出て、そこから南シナ海に出る交通路があったとすると、タミルと日本の往来はかなり容易になります。というわけで、このマレー半島横断の路が具体的に示されたことは興味あることです。

中継点といえるかどうか分りませんが、さらに別の事実が比較的最近になって分って来ました。朝鮮語が私の注意をひいています。

いずれ詳しく書きますが、実は朝鮮語とタミル語との間に一〇〇語あまりの単語の対応が明らかになって来た。それに加えてタミルの北西隣りのカンナダ語も、朝鮮語との間におよそ同じくらいの対応語をもつことが分って来た。

例えば日本語の fat-a（畑）とタミル語 paṭ-ukar（米作地）とは対応すると見ていますが、朝鮮語にも pat（畑）があります。日本語 kur-o（畦）とタミル語 kur-ampu（畦）は対応しますが、朝鮮語に kor-ang（畦）があります。これは米の生産のための土地の設備の名称が三国の間で共通だということで、タミル—朝鮮—日本という三者の米生産に何らかの関係があることを示唆しています。

これについては、①タミル→朝鮮→日本という一本の線、②タミル→朝鮮、タミル→日本という二本の線、という想定がありうるでしょう。②とすると、南シナ海から台湾まで来ると対馬海流に乗るわけで、対馬海流によって対馬海峡まで北上したら、右に折れれば北九州、左に折れれば朝鮮半島南部となります。南インドから南シナ海を経て北上して来た船が、北九州と南朝鮮とに同じ文明をもたらすという考えは、強く私の関心をひいています。

（質問6）

僕は語源の話を聞くのが好きです。思いがけないことが分ってくるので、とても面白い。語源の話を聞かせていただけませんか。

語源の研究は実はなかなかむつかしいものなんです。私がよく引く例ですが、バリカンという道具があるでしょう。髪の毛を丸刈りにするときに使いますね。あれを何故バリカンというのか。

金田一京助先生の見解によると、あの道具を明治時代に輸入したときに、最初の品がBariquand et Marreというフランスの会社の製品だったのでバリカンというようになったのだそうです。先生は本郷の床屋で実際にその銘の入ったバリカンを見たことがあるそうです。

猫はどうしてネコというか。ネコは昔、ネコマともいいました。高麗《こま》から渡来したから「寐高麗《ねこま》」といい、その最後のマを落したのがネコだという説があります。

こういう時、ネコマの方が本当にネコより古いなら、ネコマを中心として考えなくてはならないでしょう。そこでネコの古い例を探すと、『新撰字鏡』(天治本)という平安時代の古い字書に「猫　祢古《ネコ》」とある。また『日本霊異記』上に「狸」を「祢己《ネコ》」と読む註記もあります。「狸」は現在タヌキと読みますが、古くはネコも指したようです。これらが一番古そうなので、ネコという形で考える方がよいということになるでしょう。

こんな意見があります。東北地方では牛はベーベーと鳴くと聞くそうです。また、物の名の下にしばしばコをつける。例えば茶碗をチャワンコなどと。そこで牛をベエコとかベコという。これと同じ命名の仕方でネーネーと鳴くからネコというとする説です。私はこの説に同調したい気がしますが、「よく寝る子」だからネコとする説もあります。とにかく語源はこのようにいろいろな説があるのが普通です。

一つの単語の由来をたずねるだけでない語源研究もあります。その一例をとり上げましょう。

「わかる(分る)」「わけ(訳)」「わきまえ(弁え)」という一見別々にも見える言葉の語源は何だろう。これをローマ字で書くと、

wak-aru(分る)　wak-e(訳)　wak-imae(弁え)

となって、共通にwakという語根があります。また「わかれる(別れる)」「わける(分ける)」という言葉もある。これもwakという語根をもっている。

すると、日本語ではワカル(理解する、判断が持てる)ということを、「分ける」こと、つまり「対象に筋を引いて二つに分離する」ことだと把握したのではあるまいか。「物理学がワカル人」といえば、一つには物理学と化学などの違い目を分離できる人。二つには物理学の中をあれこれとこまかく分離できる人ということです。

ワカルことを漢語では「理解」といいますね。「理」という字は王偏《たまへん》ですから、宝石に関すること。「里」は「田と土」の合字で、土地に区画のすじをつけること。玉と里とで、宝石の表面に見える筋。そこから、物事に筋をつける意味になったという。これが道理とか理由とかの理です。「解」は「角《つの》と刀と牛」を合わせて一字としたもので、牛の角を刀で切って分けることから始まった字です。つまり「解」とは「切り分けること」です。

また、ワカルことを「分別」ともいいます。「分」とは「八と刀」との合字です。「八」は物を左右にわけること。「八」は、二つにわけて「四」、さらに二つにわけて「二」、さらに二つにわけて「一」となる数なので、「八」とは両方にわけることを意味しました。「刀」はそれで切ること。だから「分」は「刀で二つにすること」です。「別」という字の古形はで、は二つの骨が接続している関節の形だそうです。「刂」は古くは刀と同じ意味でしたから、刀で関節を二つにわけることを「別」といった。つまり「分別」も、二

つに分離するという発想によって「理解する」という意味を表わしました。「判断する」といいますが、「判」は「八と牛と刀」の合字で、八と牛と刀とは牛を二つに分離するところから生れたといいます。「断」の「斤」はオノ(斧)ですから、オノで力を加えて物を二つにすることだとのこと。つまり「判断」も「二つにわける」ことから発していいます。つまり「理解」「分別」「判断」の起源は日本のワカルと同じといえます。

ドイツ語では「判断する」を urteilen といいます。teilen は「分ける」ということですから、これも「二つの部分にする」と関係があるだろうと思います。

また古代ノルウェー語では「理解する」を skilja という由で、それは「分ける」「分離する」ことだとのことです。

英語のワカルは普通 understand といいます。under は「下に」ですが、「間に」という意味もあるそうです。しかしそれと stand(立つ)とが組んでどうして「理解する」意味になるかは、専門的にははっきりしないようです。(注1)

このようにワカルという言葉は、世界の方々の地域に「二つに分離する」意味から展開して来た例があります。他には、トルとか、ツカムという言葉が「わかる」の意に使われる例もあります。「意味をトル」とか、「意味をツカム」とか。こういうことを考えるのも、語源の追究の一つといえるでしょう。

ともあれ語源を考えるには、まず第一に、ネコの例で見るように文献に残っている一番古い形を求めることが大事です。日本語で一番古い言葉といえば、『古事記』『万葉集』など八世紀の言葉です。それ以前となると単語はもう中国の歴史書の倭国の記事などに点々と見つかる程度しかありません。

ところがヨーロッパ語はサンスクリット語、ギリシャ語、ラテン語など紀元前の言葉の記録がありますから、その辺までさかのぼって行ける。英語の辞書に語源がかなり詳しく、よく分るように書いてあるのはそういう材料があるからです。

しかし、もしタミル語が日本に歴史以前に渡って来たとするとどうなるでしょうか。前にもお話ししたように、タミル語は紀元前二世紀ごろから四〇〇年間の詩集サンガムを持っています。そこには二四〇〇首の歌があり、一首一首が長いので、その言語の量は、四五〇〇首の『万葉集』の数倍はある。そこに実例を求めることができるようになるわけです。

さきほどのお話では語源の話が「好き」だということでしたね。「好き」の古い意味を

たどってみましょう。室町時代にはどう使われたか。『日葡辞書』（一六〇三年）を見ると、**スキ**の項に、

心を傾け好むこと。また、茶の湯の道。また、その修業。

スキヲスル（数奇をする）　茶の湯の道に没頭する。

とあり、スキ、スク、スイタというところでは、

何か物事に心をひかれる。

とあります。中世では和歌や音楽などに心を打ち込むこともスキといいました。こんな例があります。

好きたまへ。好きぬれば秀歌は読むぞ　（『袋草紙』上）

（心を打ち込みなさい。心を打ち込めば立派な歌を作り出すことが出来るのです）

ところが平安時代までさかのぼると、スキモノがある。「色恋の道に心ひかれている者」という意味で用いられます。

世のすきものにて、ものよく言ひ通れるを　（『源氏物語』帚木）

（世に有名なスキモノなので、男女のことについては精通しています）

といった例もある。スキゴトといえば今日いう「情事」。スキズキシとは「色恋の道に走

る気持」です。わるい言葉ですがスケベエといいます。これは「好き兵衛《ベエ》」の訛った形といわれています。

平安朝の意味がスキの一番古い意味でした。時代が下るとともに、それが和歌の趣味、茶の湯の趣味と変わって来て、今では「野球がスキ」「サッカーがスキ」と使うようになったのです。『万葉集』『古事記』にはスキは出て来ません。

そこでためしにタミル語を見ることにしましょう(タミル語のcという音は日本語のsの音に相当し、現在では多くはsと発音しています)。

cuk-i　1 幸福に生きる。2 性的快楽にふける。

cuk-iyaṉ　1 快楽追求家。肉欲主義者。快楽主義者。2 甘い練り粉の菓子。

aṉ は「人」という意味ですから、右の例はまさしく日本語のスキとスキモノに当ると思いませんか。

次は**アハレ**(哀れ、あわれ)を見ましょう。

日本語のアハレは古典文学の一つの中心となる概念ですが、実際にはカナシに近い例が多い。カナシは人の死に直面して、自分は無力で、もはやどうにもできない、取り返すことはできないと感じたときの自分自身の気持をいうでしょう。しかしアワレダといえば、脇から見ていてかわいそうだというように、脇から見ている気持がついている。自分のことでも「アワレナ奴ダ」などと言いますが、自分をどこか傍《はた》から眺める気持をいうのでしょう。また、

心なき身にもあはれは知られけり鴫《しぎ》立つ沢の秋の夕暮　（『新古今集』）

という歌などは、眺めて感じるしみじみした情趣をいうものでしょう。アハレは『万葉集』にも例があります。また正倉院文書には「春雨乃阿波礼《あはれ》」という落書きもある。アハレには、ただ傍観するのではなく、共感するという気持が含まれています。

タミル語を見ると、**av-alam** があります（vは日本語のfに相当します）。意味としては、

1苦悩。痛み。嘆き。2貧乏。欠乏。3泣くこと。悲しむこと。4悲しい感情。体の八種の表現の一つ。

とある。「体の八種の表現」とは「笑い。泣くこと。卑屈。驚嘆。恐れ。誇り。怒り。喜び。これらが八種の体の表現である」とあります。そして紀元前後の古い注釈書には、av-alam は「悲しい感情」を意味するが、それは二つに区分されると書いてある。

①自分についての av-alam　「悲しい感情」

②他人に対する av-alam 「哀れみ、あるいは憐憫《れんびん》の情」

これはまさしく、日本語のアハレと通じるのではないでしょうか。

私はこの av-alam に出会うまでは、アハレはアという感動詞とハレという感動詞との二つの複合だと思っていました。しかしタミル語に av-alam として一語で見出されたのです。

正直に言って、この単語に出会って私は困ったと思いました。こんな日本古典文学の中心的な位置を占める単語がタミル語にあるなどといえば、日本文学の研究者から大きな反感を買うことになるかもしれないからです。

もう少し例を出しましょう。

日本人の感情表現の代表の一つはサビシイだろうと思います。これは『万葉集』のサブシの方が古形です。これは**サブ**という動詞から作られた言葉。サブについては『岩波古語辞典』にはこう書いてあります。

《生気・活気が衰え、元の力や姿が傷つき、いたみ、失われる意》1荒れる。荒涼たるさまになる。殺風景になる。2ふるくなる。ふるびて行く。3心が荒涼となる。心にさびしく思う。4（金属などが）さびる。5（色などが）あせる。

日本語サブに対応するタミル語があるか。
cāmp-u という動詞があります。cは日本語のsに相当することはスキの話のところで述べました。タミル語のmpという音は日本語のbに相当するのです。ですからcāmp-uは日本語sab-uに対応します。cāmp-uの意味は、

1 しぼむ。枯れる。うなだれる。2 死ぬ。亡びる。やせ衰える。3 (花が)閉じる。
4 衰微する。縮む。

とあり、タミル語の例文を訳すと、サンガムに、

・睡蓮のしぼんだ(cāmp-al)ような曲がった羽。
・花のさびれる(cāmp-um)畑。
・太陽の光が衰えて(cāmp-i)昼が終わった。

などがあります。つまりサブとcāmp-uとは対応しています。

次は精神生活で大切な役目をする祭祀関係の言葉を見ましょう。最初には、
マツル。これは日本の祭祀の最も基本的な言葉です。これの最も古い用法は「神に山海の珍味を供えて来臨を乞い、願いをかなえてくれるように祈る」ことです。それは祝詞《のりと》などにたくさん例があります。マツリとして大騒ぎをして踊ったり、神輿《みこし》をかついだり、

山車《だし》を出したりするのは、そうした行事によって神をたたえ、はやし立てることです。ところがタミル語を見て行くと、

maṭ-u　食べさせる。飲ませる。

maṭ-ai　神に対する捧げもの。(maṭ-u の名詞形)

があります。これは日本語のマツル mat-uru と同源だと考えます。次には、**ハラヘ**。今でも建設工事の開始にあたっては、神主さんを呼んで厳粛にオハライの行事をするでしょう。これは古くはハラヘといいました。私は『岩波古語辞典』にこう書きました。

《自己の犯した罪過や、受けた穢《けが》れ、災《わざわ》いを無くすために、事の度合に応じて、相手や神に物を差し出して、罪過穢災をすっかり捨て去る意》

ハラヘに捧げるものをハラヘツモノ(祓へつ物)といいます。ハラヘは祈ることの一つで、過去の罪過についてだけでなく、将来生じうる穢れや災いについてもなされました。この行事はマツルと一組になって、日本人の祭祀意識の根本をなしています。

ハラヘに対応するタミル語があるかどうか。タミル語と日本語の間には、pはfに、vはfに相当する例が数々あります。

par-avu　礼拝する。畏敬する。崇敬する。賞賛する。唱えごとをいう。

これは日本語のハラフに当ります。タミル語の用例を見ると、古典文学サンガムの中に、

・悩むな我らの心よ、我々は神を礼拝し、神を祝福し、祈りを捧げ、家族と共に敬意を表し(par-avutum)ます。

・ムルハン神にいつも捧げ物を捧げて(par-avum)祈る母。

などがあります。実際にスリランカのタミル語地域では、建物を立てるときに四角に区切って土地の四隅に竹の柱を立て、縄を張り、その中に供え物をして神に捧げ、神の来臨を乞い、土地の安全を祈る地鎮祭を今でもすると、サンムガダス夫人は話しました。

また、「悪い」に当るタミル語があります。vは日本語のwにも相当しますから、

vaṛ-u　1過失。失敗。欠点。短所。失策。2損害。損失。3罪悪。4醜聞。悪評。

これは日本語の**ワル**(悪)に当るでしょう。

もう一つだけ例を挙げます。日本人が最も日本的に事態を把握し、それに従い、それを大切にし、それの中で生きている言葉があります。それは**ナル**です。

寒くナル、暑くナル、春にナル、秋にナル、深くナル、浅くナル、実がナル、貧乏にナル、ナリ行き、ナリ立ち、ナレのはて、ナルべく、ナルほど

ナルは自然の推移に伴って生じる状態であり、結果です。これは実に使用度の高い、使う幅の広い、そして万葉時代からある言葉です。タミル語を見ましょう。

nāṟ-u　現われる。起こる。生じる。芽が出る。芳香を放つ。

タミル語 nāṟ-u の古い文例としては次のようなものがある。

・芽の出た(nāṟṟ-u)苗の束《たば》。

・王様の子供として生まれた(nāṟ-i)。

nāṟ-u と日本語の nar-u とは基本的に音も意味も対応することが分るでしょう。

きりがありませんから、この辺にしましょう。興味のある方は『日本語の起源　新版』をご覧下さい。専門的には『日本語の形成』もありますが。

語源の研究の面白味は、一つの言葉をさかのぼることによって言葉の成立の事情や歴史的背景などが見えてくるところにあります。また、ワカル(分る)、ワケ(訳)のように、単語の家族を見出して、そこに共通する意識があることを見ることもできます。

言葉の歴史的展開を考えるには、当然時代的に古い用例にさかのぼる必要が生じるでしょう。日本語の語源の探索は従来、奈良時代までしか追うことができませんでした。しかしそこから一〇〇〇年前のタミル語までさかのぼれるとなれば、新しい視界が開けて来ます。お話ししたように、日本人の精神生活や祭祀に深い関係をもつ単語まで、すでにタミル語に存在していたことも分って来ました。このようにしてタミル語を加えることによって、日本語の語源の理解は進むのですが、言葉の由来が分っただけに止まらず、一語一語の吟味は先々いろいろな問題に発展して行きます。

（質問7）

ヨーロッパの詩には脚韻があって、美しいなあと感じるのですが、日本語の詩に脚韻がないのは何故ですか。

脚韻などというと、漢詩や現代詩に興味をもつ、限られた人の関心事と思う方も多いでしょう。しかしこの問題を考えて行くと、これは背後に日本語の性格が見えてくる問題なのですね。日本語の何が見えるかといえば、日本語の文法的な仕組み、音韻、また日本語の詩の形式の特性などです。それが脚韻のないことに関係していると思うのです。そんな観点からお答えしたい。

日本の歌の韻律は、長歌では、五七五七五七……七というように、五音、七音、五音、七音と母音を展開して、最後に七音がきて、しめくくります。五七五七七という形式は、長歌の最後の五七五七と、七とだけを独立させて一首とする歌です。それを短歌といいますね。

このように日本語の歌の韻律の特徴は一句に音節の数が五個と七個であること。それが五七、五七の形に組み合わせられることです。例を出しましょう。

しきしまの　やまとのくにに　（磯城《しき》島の大和の国に）
ひとさはに　みちてあれども　（人は多く満ちているけれども）
ふぢなみの　おもひまつはり　（藤の枝のように思いがからみ）
わかくさの　おもひつきにし　（若草のようにやわらかい私の気持がまつわりつく）
きみがめに　こひやあかさむ　（あなたの眼を、恋いつつきっと明かすでしょう）
ながきこのよを　（長いこの夜を）

反歌

しきしまの　やまとのくにに　（磯城島の大和の国に）
ひとふたり　ありとしもはば　（〔あなたのような〕雄々しい人が二人いると思うのだったら）
なにかなげかむ　（なんでこんなに嘆くでしょう）

このような五七五七五七……七、または五七五七七という韻律が日本の歌の代表的な形式です。

なかには、「よき人の　よしとよく見て　よしと言ひし　吉野《よしの》よく見よ　よき人よく見つ」という『万葉集』の歌のように、それぞれの句が皆「よ」ではじまっているものもあるにはありますが、それはかなり例外的なもので、これを形式として確立して、頭韻の伝統をつくることはありませんでした。

西洋の詩が輸入される以前に、日本人が知っていた外国の詩は、漢詩、つまり中国の詩です。中国の詩が韻を踏むことは、みなさん知っておられるでしょう。ですから、漢詩をつくる人は、韻の踏み方の作法を習い、それに合わせて漢詩をつくる。漢詩をつくることは奈良朝から行なわれていました。『懐風藻《かいふうそう》』という奈良の宮廷人たちの漢詩集を見ると、中国の韻律の形式に合わせるために苦心惨憺《さんたん》しているのが分ります。そして、その形式をまもるのが精一杯で、詩としての中身に自然な流露がない。つまり下手な詩だという印象をどうしても受けます。

漢詩の例を一つだけ出します。これは有名な杜甫の「春望（春の望《なが》め）」という詩です。原文と訓読を見ましょう。

国 破 山 河 在　　　国破れて山河あり、

城春草木深
感時花濺涙
恨別鳥驚心
烽火連三月
家書抵万金
白頭掻更短
渾欲不勝簪

城《しろ》春にして草木深し。
時に感じて花に涙を濺《そそ》ぎ、
別れを恨んで鳥に心を驚かす。
烽火《ほうか》　三月《さんげつ》に連《つらな》り、
家書　万金に抵《あた》る。
白頭　掻《か》けば更に短く、
渾《すべ》て簪《しん》に勝《た》えざらんと欲《す》。

日本人は、漢詩を訓み下し文で読んで、美しいと感じ、『唐詩選』を好みました。

この原文を中国語の発音風に読むと、二行目の末尾は「深（シム）」で、四行目は「心（シム）」、六行目は「金（キム）」、八行目は「簪（シム）」です。「シム、シム、キム、シム」と同じ韻をもつ字が並んでいる。つまり韻を踏んでいるのです。中国語でこれを読み上げると、詩として美しく聞こえる。中国語の詩の韻の踏み方にはこのほかにもいろいろな規則があり、それに従って作るのです。

このような例は、韻がいちばん下にあるので脚《あし》の韻、「脚韻」と言われます。このような脚韻を踏んだ詩はヨーロッパにもあり、よく知られているのがソネット、十四行詩です。このソネットという形式の詩がヨーロッパにあると聞いて、明治時代から日本の詩人は日本語でこれができないかといろいろ工夫しました。

では「ソネット」とは、どういうものなのか。大体は次のようです。

ソネットはヨーロッパの抒情詩の伝統的な詩形の一つで、小曲あるいは十四行詩と訳される。十三世紀の末ごろからイタリアで、詩の定型として確立され、ダンテは『新生』の中で初期のソネットの作例を示した。とりわけペトラルカがこれを多用したのが名高く、彼の影響によって、この詩形はヨーロッパ全土に広まり、恋愛詩に多く使われた。フランスでは十六世紀にロンサールらのプレイヤード派によってフランス風のソネットが完成され、十七世紀にはこの詩形は宮廷やサロンを中心に流行した。その後衰えたが十九世紀の半ばに復活して、ボードレール、マラルメ、ヴェルレーヌ、ヴァレリーらがすぐれた作品を作った。ほかに十六世紀にはイタリアではミケランジェロがこの形式を用い、スペイン、ポルトガルでも愛用された。ドイツではゲーテらの作品がある。イギリスではシェイクスピアが『ソネット集』でイギリス風ソネットを定着させ、ミルトンらを経て十九世紀にはワーズワース、キーツらがこの形式を用い、とりわけブラウニングの作品が名高い。二〇世紀に入ってはリルケのソネットが知られている。

ソネットは十四行という単純な一つの形式を守るだけでなく、脚韻の踏み方にもさまざまの型があり、それの組み合わせ方をきちんと守った形式的な美しさが非常に重んじられた。最後の一行には、一篇の結びとして、とりわけ鮮やかで水際立った言葉が求められたようです。（注２）

ヨーロッパの詩には長いものがあって、ゲーテの『ファウスト』などは一万二〇〇〇行もありますが、前篇も後篇も、各行がすべて韻を踏んでいます。ですから、日本でも明治時代にヨーロッパの詩を輸入したときに、蒲原有明《かんばらありあけ》や薄田泣菫《すすきだきゅうきん》などは十四行詩を作り、なかにはいくつかの見事な作品も残しましたが、脚韻にまでは手が届かなかった。

昭和期には立原道造《たちはらみちぞう》のソネットが名高く、昭和十三年（一九三八年）に私が高等学校に入ったころ、立原の詩を読むことは、非常に美しい抒情詩を読むことでした。けれども立原の詩はソネットの形式をきちんと守っていたわけではなく、多少そのようなことを心にかけていることは分るものの、自由詩に近いものでした。

日本が第二次大戦に敗北して、戦後に中村真一郎や福永武彦、加藤周一、白井健三郎らの集団が、人の集まったところで詩を朗読してその美しさをみなで味わう「マチネ・ポエティク」という試みをはじめました。それは敗戦後、新しい日本を開こうという意識が強かったころです。詩を志す人たちの集団が新しく発足するときにはみな意気込みがさかんなものですが、この集団は、日本語でソネットをつくろうと工夫をかさねました。彼らは戦争中から、すでにソネットに心を寄せて作品をつくっていましたから、マチネ・ポエティクの雑誌が新しく出発する時の宣言文は若々しい、リズムがある見事な文章です。日本の詩史についての彼らの認識が書いてあります。始めのところを読んでみましょう。

詩の革命

《マチネ・ポエティク》の定型詩について

日本の抒情詩は今迄三回の革命を経験し、その度毎に美しく恢《よみがえ》って来た。

第一回は恐らく近江朝廷時代で、五音と七音との様々な組合せから成る雑多な諸形式の混沌の中から五七五七七音の短歌形式が誕生した時だった。それは忽《たちま》ち従来の形式を凌駕《りょうが》して、殆《ほと》んど唯一の抒情詩形式となり、多数の天才を生み、又、彼等によって進歩させられ万葉集の主要部分を形成した。

第二回は戦国時代で、短歌が五七五音と七七音とに分れることによって連歌となり、元禄期の巨匠達の手で俳句形式にまで固定した。

第三回は明治維新直後、未知の西欧文学の息吹《いぶ》きを浴びて我々の近代文学が出発しようとした時、欧羅巴《ヨーロッパ》風の短詩形式の模倣から、新体詩が作り上げられた時である。それは藤村《とうそん》によって新しい形式の可能性を証明し、泣菫と有明との中で近代的な抒情を歌い上げることに成功した。そして此の形式は、短歌俳句と共に、現代の日本詩の領土を三分して繁栄している。


明治の文学革命は、抒情詩の領域に於《お》いて、新体詩を発明すると同時に、短歌と俳句をも復活させた。此の三ジャンルは平行して、明治の精神の歌い手となり、新しい国語を鍛え上げた。それが詩の用語としての文語である。それは藤村と同時に子規や啄木の中で、独自の高さを獲得して行った。

然し、此の文語は、それ自体の裡《うち》に弱点を匿《かく》していた。明治の生んだ此の言語は、本質的に復古的要素を含む点に於いて、明治の社会革命の最良の表現である。泣菫と有明との努力は、我国文学の古典時代への傾倒を通しての、古語の復活に捧げられた。そしてそれは間もなく、白秋の中で悲劇的な矛盾に到達した。即ち白秋の詩は、詩句が完璧に近付くと共に、近代性を稀薄にし、江戸末期の小唄に近付いて行った。西欧近代詩を学んで近代的な抒情を歌おうとした詩人たちの革命的な意志は、死に絶えようとした。その時反逆児萩原朔太郎は白秋の保守的な完全さを打砕くことによって、もう一度、我々の抒情詩を近代化しようとした。そのために彼が取り上げたのは、小説家達によって完成されつつあった、新しい口語体だった。それ故、『青猫』は、極度に原始的な手段による、形式を犠牲としての近代詩への冒険である。

然し朔太郎の浪漫的雄弁は、専《もつぱ》ら破壊の第一石となり、詩壇の動きを自由詩から散文詩へと、無限的な崩壊へ誘う結果になった。その場合権威ある定型が抵抗として存しなかったことが、詩の解体を悲惨な迄に容易にし、それは詩精神そのものの喪失を将来した。その間、詩の読者は様々な新流派の狂乱を離れて、専ら芸術的満足を、西欧の詩に求め、自国の詩人達を黙殺した。斯《こ》うした無政府状態の中に、朔太郎の正当な後継者、中原中也や立原道造が、その短い生涯を形式恢復への古典主義的希求に捧げ終った時、戦争が我国精神のひ弱な近代を尽《ことごと》く破壊するために押寄せて来たのである。

マチネ・ポエティクの人たちは日本の詩の歴史を、声高らかにこのような形で述べたのです。この記述には、こまかい点では異論もあるでしょうが、大事な点を衝いています。彼らは、日本語でソネットのような定型詩をつくり上げたい、それは詩人たちの努力によって可能だ、と考えたのだと思います。

一九九七年の秋のあるパーティーの会場で、私は中村真一郎さんに会いました。中村さんは私と中学校、高等学校、大学も同じで、かつ高等学校の国文学会の委員であった点も同じです。中村さんは、そのころから日本の古典に親しんでいました。戦後、私が高等学校の国文学会に行って『万葉集』の講釈などをすると、中村さんはその席に顔を出したり、後年私が本を出版すると、大抵どこかで取り上げて批評をしてくれる方でした。

そのパーティーで、私が前を通りかかったときに中村さんは、

「大野くん、君に言っておきたいことがある」

と私に声をかけました。私は緊張しました。「言っておきたいことがある」とは、おだやかでない。中村さんは、こう言ったのです。

「日本語では脚韻を踏んだ詩はできないというようなことを君は言っているらしいけれども、ヨーロッパでも、ある国ではそれまで脚韻を踏めなかったのが、詩人の力によって踏めるようになったという事実もある。それぞれの国でそのようにして脚韻を踏む詩ができてきたんだ」。

私は、困ったと思いました。というのは、私は高等学校の生徒のときに、日本語では脚韻は踏めないと痛切に思った経験があり、その後日本語を勉強しているうちに、日本語では脚韻は踏めないとますます思うに至っていたからです。

私は高等学校ではドイツ語の組の生徒でした。三年生のときにはヴィンデルバントの『十九世紀ドイツ哲学思潮』や、フィヒテの『ドイツ国民に告ぐ』という、どれも力強いドイツ語を習いました。同じ三年生のときに、ゲーテの『ファウスト』を竹山道雄先生に習ったのでした。

私は高等学校でいつも成績低迷の生徒で、墜落しないことを心がけているばかり。常習的に代返《だいへん》をしてもらっていました。つまり、出席をとるときに友人に声色を変えて代わりに返事をしてもらうのです。学校へ行かずに寮でゴロゴロして小説を読んだり、映画を見に出掛けたり。そんな生徒ですから、ドイツ語がよくできるわけがありません。『十九世紀ドイツ哲学思潮』もやさしくなくて骨が折れました。当時、岩波文庫にシュヴェーグラーの『西洋哲学史』という本があってこれは分りやすく、読んでやっとヴィンデルバントの本について行けたようなことでした。

『ファウスト』は習っていても、予習も復習もしないのですから、いざ試験となると大変です。寮は十二時が消灯ですが、自習室といって終夜灯の一部屋が、勉強熱心な生徒のために用意してありました。試験期になるとそこに座り込みます。まず岩波文庫の森鷗外訳するところの『ファウスト』を読みます。それから字引を頼りに原文を読む。やっといくらか分る程度でした。

劣等生である私が習った『ファウスト』が、どんなものかを、ここでお目にかけたいと思います。次に掲げる『ファウスト』の「夜」は、第一部の最初のところで、森鷗外の苦心の訳です。

はてさて、己《おれ》は哲学も
法学も医学も

あらずもがなの神学も
熱心に勉強して、底の底まで研究した。
そうしてここにこうしている。気の毒な、馬鹿な己だな。
その癖なんにもしなかった昔より、ちっともえらくはなっていない。
マギステルでござるの、ドクトルでござるのと学位倒れで、
もう彼此《かれこれ》十年が間、
弔《つ》り上げたり、引き卸《おろ》したり、竪横十文字に、
学生どもの鼻柱を撮《つ》まんで引き廻している。

これが第一節のはじめの部分です。これからファウストのドラマが展開します。これは翻訳だから当然ですが、さきほどの中国語の詩で見たような一行の最後の音を揃えるという脚韻はありません。ドイツ語の原文はどうなっているか。はじめの十数行を並べてみます。本文はともかく、それぞれの行の末尾の太字にした単語の、最後尾の音の形について、括弧でくくった一対に注目してください。

FAUST : Habe nun, ach! **Philosophie**,
Juristerei und **Medizin**,
Und leider auch **Theologie!**
Durchaus studiert, mit heißem **Bemühn**.
Da steh ich nun, ich armer **Tor**!
Und bin so klug als wie **zuvor** ;
Heiße Magister, heiße Doktor **gar**
Und ziehe schon an die zehen **Jahr**,
Herauf, herab und quer und **krumm**,
Meine Schüler an der Nase **herum** —
Und sehe, daß wir nichts wissen **können**!
Das will mir schier das Herz **verbrennen**.
Zwar bin ich gescheiter als alle die **Laffen**,
Doktoren, Magister, Schreiber und **Pfaffen** ;

これを見ると、行末の下線の部分の、括弧でくくった一組が、それぞれ一対として同形であることがお分りになるでしょう。ただ、Medizin と Bemühn、さらに können と verbrennen とは同一ではないのですが、これは脚韻として許容される範囲内ということです。これが脚韻の一つの形式です。

ここではじめの一連は四行ですが、その次へいくと、末尾の音がみな二行で一組になっています。少し先にいくとまた四行で組んでいたり、いろいろな技巧があります。私のようなできない学生も、鷗外の訳を頼りにしてひと通り終わるまで自習室でこのような原文と取り組むのです。

ところが何度も読んでいるうちに、だんだん原文の調子が呑み込めて来て、ドイツ語として読めるようになります。夜明け方、東の空がほのぼの明るくなるころには、行の末尾の脚韻が波のように押し寄せてくるのを感じます。その波も、さざ波だけではなくて、大波やら荒波やら、いろいろな波が押し寄せて来ます。それが私の胸を打つ。ひびくものがそこにある。

そのころ私は『万葉集』の勉強をしていて、斎藤茂吉の『柿本人麿』なども読んでいました。柿本人麿の歌がどんなに見事か、人麿がどんなに立派な詩人か、つくづくと偲《しの》んでいました。ところが、『ファウスト』を読んでいくと、工夫に富んだ脚韻をさまざまに駆使した詩句が一万二〇〇〇行もつづくのです。片や人麿のいちばん長い歌でも一四九句です。このように韻を踏んで何千行とつづいて行くゲーテの詩を見て、これは日本語では到底できないと感じたのです。明治以後、『銀《ぎん》の匙《さじ》』を書いた中勘助《なかかんすけ》など何人かの人が、日本語に絶望して詩から離れて行った気持が理解できるような気がしました。

中村さんから「君に言っておきたいことがある」と言われて、私は中村さんにただならぬ空気を感じました。彼はそのころ病気だと聞いていました。日本語の詩で脚韻を踏んだ形式を何とかして創作し、定式化したいという、おそらく長らく胸底に懐いて来た気持があったのです。

彼らのマチネ・ポエティクに対しては賛否両論がありました。三好達治は、「あれはだめだ」と言ったそうですし、そのほかにもだめだと言った人が何人もいたようです。考えてみると、文学史に名の出てくるような詩集でも歌集でも、一つの詩歌集にいい作というものは、それほどたくさんあるわけではないでしょう。だから一つの詩集で一つか二つ、いい詩があれば、その詩集は成功なのだと私は思っています。

マチネ・ポエティクがどのような詩をつくったのかを、一つ実例を挙げて示しましょう。これは私の同級生である窪田啓作の詩です。彼はフランス語の組で、中村さんたちのグループと一緒に作品をつくっていました。「水のほとりに」という題で、フランス語が添えてあります。

水のほとりに

S'asseoir tous deux au bord du flot qui passe de voir passer……

過ぎてゆく波のほとりにただふたり
　過ぎてゆく光をながめ
うつりゆく雲の形にただふたり
　うつりゆく季節をながめ
この時の続く限りを夢と焚く
　ことよりほかに技《すべ》もなく

西風に髪の匂へば火の指は
　匂ひある捲毛を散らし
牧の日の花を摘んでは火の指は
　まどろみの面《おもて》に降らし
この時の続く限りを夢と焚く
　ことよりほかに技もなく

さみどりの柳がくれの水の面《も》に
　囁《ささや》く水の節《ふし》を聴き
蜜と夜に溶けゆく今日の水の面に
　見えない舞の精を聴き
この時の続く限りを夢と焚く
　ことよりほかに技もなく

ながれ去るすべてを前にふたりのみ

ながれて去らぬ幸《さち》を識り
疲れゆくすべてをよそにふたりのみ
疲れぬ愛を胸に知り……

これは一九四六年、終戦直後の作です。十四行詩ではありませんが、韻を踏むという観点から見ると、──と‖と〰〰の傍線で示したような韻を踏んでいます。

『マチネ・ポエティク詩集』の中で、これがいちばんいい出来かもしれません。私はその詩集を読んだときに、これは形式を整えるために、歌が死んでしまっている、と感じました。その中で、この作は詩として生きているほうだと思います。しかし、それでも「牧の日の花を摘んでは」というのは何のことか分りませんし、「夢と焚く」というのも、分ったような、分らないような感じです。

ソネットは恋愛詩に多く用いられたということで、『マチネ・ポエティク詩集』にも恋愛詩がかなり載っています。ところが、十四行にわたって一つの恋愛を歌うとなると、よほど内容が充実していないと形式が長すぎるのです。日本では五七五七七という短い形で恋愛を歌った歌が奈良朝、平安朝以来たくさんあり、哀切をきわめ、痛く読み手の心を打ちます。そうした張りつめた、心持のこもった歌を我々は読み馴れています。さらにその後には俳句という、よりいっそう短い詩形が発達しているのですから、十四行にわたって言葉を使うとなると、中身がよほど充実していないとたるんで見える。

その点では、新体詩のほうが脚韻という形式に縛られない分、想いを伸び伸びと歌っていますから、中身の豊富なものがある。新体詩の中で薄田泣菫や蒲原有明の作には、日本語もこんなに内容のある美しい表現ができるのかと思うものがあります。ここに一つの実例を示しましょう。私が中学校で習った詩です。古語を復元させているので、現在の人には少しむつかしいかもしれません。これはブラウニングの〝Oh, to be in England〟で始まる作品に触発された作ということですが、静かに味わって行くと作者の大和への「已《や》み難い憧憬」が伝わってきます。熱い情念が濃く表わされているといえるでしょう。はじめのところだけ紹介します。

ああ大和《やまと》にしあらましかば

薄田泣菫

ああ、大和にしあらましかば、

いま神無月《かみなづき》、
うは葉《ば》散り透く神無備《かみなび》の森の小路を、
あかつき露に髪ぬれて、往きこそかよへ、
斑鳩《いかるが》へ。平群《へぐり》のおほ野高草の
黄金《こがね》の海とゆらゆる日、
塵居《ちりゐ》の窓のうは白《じら》み日ざしの淡《あは》に、
いにし代の珍《うづ》の御経《みきやう》の黄金文字《こがねもじ》、
百済緒琴《くだらをごと》に、斎《いは》ひ瓮《べ》に、彩画《だみゑ》の壁に
見ぞ恍《ほ》くる柱がくれのたたずまひ。
常花《とこはな》かざす藝の宮、斎殿《いみどの》深く
焚きくゆる香ぞ、さながらの八《や》塩折《しほをり》
美酒《うまき》の甕《みか》のまよはしに、
さこそは酔はめ。

これと較べれば、マチネ・ポエティクの作品は、形式を守るという束縛のために、言葉の自然な流れに欠けて、ぎくしゃくしたところがあり、どうしてもうまくいっていない。

では、どうして日本語ではソネットの制作が困難なのか。

まず文法形式のことがあります。

中村さんたちが目指した十四行詩は、もともとヨーロッパ語の詩の形式です。その詩形はイタリア語からはじまって、ドイツ語や英語へと広まっていったということですが、言語はイタリア語、ドイツ語、英語とそれぞれ違っても、インド・ヨーロッパ語という基本的に共通した文法構造を持っています。その代表的な特徴として、目的語となる名詞が文の終わりにくることが正則であるということが重要です。単語の中では名詞が一番多い。だから規則として文末に名詞が置けるとなると、安心して文末にいろいろな変化を作り出すことができる。

ところが日本語は名詞で文を終わることは、原則的にできません。和歌には名詞止めの歌があるにはあります。なかには見事な作品もあります。

春過ぎて夏来るらし白妙の衣乾したり天の香具山

さきにも引いた歌ですが次も名詞止めの例です。

心なき身にもあはれは知られけり鴫《しぎ》立つ沢の秋の夕暮

こうした名詞止めの歌は最後に判断辞がない。したがって、叙述としてイエスなのかノーなのか分らない。名詞止めで終わることは日本語ではただ詠嘆・感動の対象としてそれを投げ出す以外にない。

日本語の文章に使う単語の六割、場合によってはそれ以上が名詞で、動詞の数はずっと少ない。そして動詞だと終わり方が決まっていて、「歩く、倒す、来る、噛む」のように必ず母音uの音で終わります。そのuの前に動詞の語幹が付きます。こまかく判断を示すには、その下に「だろう」や「ない」、古文で言えば「つ、ぬ、たり、り、き、けり」などの助動詞を付けますが、その助動詞は合わせても三〇語になりません。日本語は文法的には、文は動詞・助動詞・助詞で終わることに限られている。つまり日本語では文末について形式的に変化がつけにくく、単調になる。それを避けるためには、規則に外れた表現、たとえば倒置法などを使わなければならない。しかし、倒置ばかり使うわけにもいきません。日本語と同じようにいちばん最後に文の判断辞がくる朝鮮語でも脚韻はできないようです。

タミル語も脚韻は踏んでいない。それは文法の基本が日本語と共通でやはり動詞・助動詞、稀に助詞で文を結ぶのが正則という文法上の制約と関係があったと思います。

また、音の面からいうと、『万葉集』よりもっと古い時代には、日本語の母音は四つしかありませんでした。音の組織が、よく言えば簡単、悪く言えば貧弱なのです。しかも母音で必ず終わるという制約があり、同じ ka という音節でも、kap, kat, kak, kan, kam, kang というような変化がつけられない。このように、日本語は音声的にもいろいろな技巧を尽くすには不利な言語です。

私は思いきって中村さんに言いました。「マチネ・ポエティクの詩は成功しているとは私には思えないんです」。こわかったのだけれども、私はそう言いました。

「あれは形式のために、歌が生きていないと思う。日本語では脚韻を踏むことは、文法形式からも音韻の上からも無理なのだと私は思うのです」。

中村さんは沈黙を守って私の言葉を聞いてくれました。中村さんはそれから二月あとに亡くなりました。そういうことがあって、脚韻という問題は、日本語の詩の問題として、また私個人のこととして印象が深いのです。

（質問8）

高校のころ古文の特徴として「係り結び」の規則があると習ったことがあります。それは古文だけのことではなく、現代語と何か関係があるのですか。

私は中学校で一年生のときに、まず文語の文法を習いました。何千語あるかもしれない動詞を活用で分けると九種類におさまってしまうと聞いて、ある驚きを感じ、面白いものだと思いました。口語の文法は結局習いませんでした。

その頃、文法という科目は皆に嫌われていました。自分が教師になって大学で文法を担当してみて、学生諸君が実に我慢して聞いていることがよく分りました。(ですから、こういう純粋に文法上のことはなるべくこの席でお話ししないようにしたいと思っていました。そんなわけですから、お答えはしましたけれど、文法の話なんか嫌いとお思いの方は、こういう質問のところは飛ばして先をお読み下さい。)

皆さんが文法嫌いであることには、それなりの理由があると思います。あるとき一人の学生が言うには、高校で「係り結びなんて何故あるのですか」と質問したところ、「そんな質問する奴があるか。あるからあるんだ」というお叱りをうけたとのこと。それでは文法が好きになりようはありませんね。しかし先生の側にもわけがあると思うのです。多分その先生も何故係り結びがあるのか疑問に思っていたでしょう。しかしその答えはどの文法の研究書にも書いてない。つまり日本文法の学問そのものが、まだそこまで届いていないのです。分らないままで、先生は教壇に立たなくてはならない。そこで、ただこういう事実があると、それだけを一所懸命説明している。実は私もそういう先生の仲間の一人だったのです。

今も覚えていますが、ある年、助詞について詳しく講義しました。そして試験の問題として、「原理を立てて助詞を分類せよ」と一題だけを出しました。

助詞にはいろいろありますが、その中には係《かかり》助詞と副助詞という似た働きをするものがあります。係助詞とは、ハ・モ・ゾ・ナム・カ・ヤ・コソ。副助詞とは、ノミ・バカリなどをいいます。私は、助詞の分類で最もすぐれている山田孝雄《よしお》の説によって講義をしていたのですが、その説によっても、どうも係助詞と副助詞の区別がはっきりしないと自分自身感じていました。教師がよく分らない講義をするときは、実は教師自身がよく分っていないのです。

答案を見ていくと、こういうのがありました。

「係助詞と副助詞の区別については講義不明につきこの先書けません」。

その学生は私の講義をよく聞いたらしく、そこまでは整然と書いてあったのですが、ノートを見ても、係助詞と副助詞の差が分らなかったのでしょう。

これではいけないと私はその後、助詞のうち、係助詞についていつも考えるようになりました。

もともと「係り結び」とは、次の呼応の関係をいいます。

①ハ・モが係りとして上にあると文末は終止形で結ぶ
②ゾ・ナム・カ・ヤが係りとして上にあると文末は連体形で結ぶ
③コソが係りとして上にあると文末は已然形で結ぶ

このことを一覧表として明らかに示したのは本居宣長です。

これは古文と現代文の大きな相違ですから、古文を読むためには是非心得ていなくてはならない規則です。そこで古文を教えるには、まずこの形式を繰り返し学ばせます。といっても、肝腎のその役割については、①は「普通の終止の仕方」、②と③は「強調の終止」という以上は説明されない。

現在の学校文法は、それを学んでも日本語の文法構造の基本が分るようにはならない。

文章を書いたり読んだりすることに、文法が直接役に立つことはほとんどない。それが弱点です。英語だと、S・V・Oを中心にした文の構造を教えられる。それが読解の手引きになる。それに対して、係り結びについては、宣長以来、これは「文の下の部分が変化すること」と、「強調のための表現だ」としか教えられない。どうして強調になるのかだけでも分れば、係り結びがもっと身近になるでしょう。

ここで一例としてゾとカの連体形終止を説明しましょう。次の例を御覧下さい。

我が庭に花ぞ咲きたる

この場合、タルが連体形です。これは本来は、

我が庭に　咲きたる［モノハ］　花ぞ

であったのを、「花ぞ　咲きたる」と倒置したのです。倒置という方法は、１２と並ぶべき言葉を２１という逆の順序にして、２を強調する手法です。

いはふ杉手触れし罪か　君に遇ひがたき

とある。ガタキは連体形ですから、「難しいこと」の意味です。これは本来は、

君に遇ひがたき［コトハ］　いはふ杉手触れし罪か

（あなたにお会いできないのは、禁止されている神杉に手を触れた罪か）

であったのを、「[2]手触れし罪か　[1]君に遇ひがたき」と倒置したのです。倒置は強調の表現になります。たとえば現代語で、

　欲しいのは、本だ。

と言えば順直な表現です。これを、

　本だ、欲しいのは。

と倒置すると、「本だ」が強調されます。それと同じ手法が強調のための、連体形終止の係り結びの起源でした。この説明すら、なされないことがあります。また、係り結びの語法が消えた後、現代語には何もその影がないのかどうか。私は考え続けていました。

係り結びの問題と、ハとガの問題とは別々のことと考えられてきました。ところが一九八三年のある日、突然私に次の考えがひらめきました。

①疑問詞（誰・いつ・どこなど）を承ける係助詞がある。

　モ・ゾ・カ

②疑問詞を承けない係助詞がある。

　ハ・ナム・ヤ・コソ

①を見ると、誰モ・イツモ・ドコモ。誰ゾ・イツゾ・ドコゾ。誰カ・イツカ・ドコカ、という使い方がある。しかし②では誰ハ・イツハ・ドコハ。あるいは、誰ナム・イツナム・ドコナム。誰コソ・イツコソ・ドココソ、という使い方の古例はない。つまり係助詞は下だけ見ていてはいけない。上も見るべきだ。その係助詞が何を承けるかを見るべきなのだ。係助詞には疑問詞を承けるもの、承けないものという二種の区別がある。これは係助詞の本質にかかわることにちがいない。私はそう考えました。

しかし、係り結びは室町時代には亡びてしまった。ではこの日本語の構文法の二つの大きな区分もあとかたなく消えてしまったのか。

ここに、現代語の構文の特徴であるハとガの使い分けが浮上します。ハとガを文の主にする語法は、古来あったのではなく、係り結びが亡びた頃に姿を現わすのです。

ハとガの相違は何かということについて明確な解答をしたのは松下大三郎《まつしただいざぶろう》という学者です。「ハとは話の題目を提示するものだ」と、はじめて述べました。その説を受けて三上《みかみ》章《あきら》という学者が、日本文法ではヨーロッパから輸入した主語と述語という語を使うが、これは日本文の特性に合わない。主語を抹殺せよと彼は強く主張しました。

私はハとガとを見るうちに、

①ガは疑問詞を承ける（誰ガ、イツガ、ドコガ）

②ハは疑問詞を承けない（誰ハ、イツハ、ドコハといわない）

ということに行き着きました。この相違は係り結びの①と②の相違に相当する。してみると、係り結びが消えたとき、それが荷っていた一つの役割、①疑問詞を承ける助詞によって文をつくる、②疑問詞を承けない助詞によって文をつくる、という大事なことは、次代ではガとハとによって継承されたのではないか。

言い換えれば、現在日本語では、文の主の下にガを使うか、ハを使うかのどちらかだが、それには次の原則がある。

①ガの上には、疑問のこと、未知のこと、新発見と扱うことを据えて構文の主とする。

②ハの上には、話題としてすでに知っている、知られていると扱うことを据えて、構文の主とする。ハの上を分っているものと扱う。

「本ガ部屋ノ隅ニアッタ」とは、「部屋の隅に（未知の、気づかなかった）本というものを発見した」ということ。

「本ハ部屋ノ隅ニアッタ」とは、「前から探していた本は部屋の隅で発見された」ということ。

ガは上の「物や事」を未知・新発見のものとして扱う。ハは上の「物や事」を既知のものとして扱う形式である。

別の例でいえば、「私ガ大野デス」といえば、前からみんなで探していた大野という人物は、どの人であるかが未知だった。その人物は「私」であると、「私」を新情報として名乗る形式。「私ハ大野デス」といえば、「私」はすでに人の意識に上っている存在として提示されていて、その人はどんな名であるかが未知である。そこで「大野デス」という新情報が加えられた形式です。

つまり、現代日本語は新知識・新情報を主にして文を作る場合にはガによって構文する。旧知識・旧情報を主として文を作る場合は、ハによって構文して、下に新情報を加えるという形式をとる。つまり、新・旧という情報の組み合わせが構文の基本です。これは古文の時代からの日本語の基本構造を現代語がうけつぐものである。

ところがヨーロッパ語では常に、動作の主は誰なのか、自分か、相手か、第三者なのかを最初に明示し、確定する。そこから文を始める。その最初が私なら一人称、相手なら二人称、他の人や事なら三人称というように、動作や存在の主語を最初に確定して文を作る。日本語とヨーロッパ語との相違はここにあるのではないか。

私は係り結びを『万葉集』『源氏物語』以下、中世の文学までを範囲として例を集めて分析しました。係り結びが消えたあとは、その基本をハとガが引きついだ。それを近代文学の漱石や鷗外についても調べて論じました。『係り結びの研究』(岩波書店、一九九三年)という私の本はそういう日本語の文の作り方の根本的構造について書いたものです。そのおよそは、今お話ししたようなことです。

一つ追加の質問です。連体形終止の係り結びは亡びたわけですが、では、何故亡びたのですか。

お答えします。口語の文法では、「来る」を例にとれば、

来ル　コ・キ・クル・クル・クレ・コイ

と活用しますね。ここにクル・クルと同じ形があります。「為《す》る」なら、

為ル　　シ・シ・スル・スル・スレ・シロ

と活用します。このクル・クル、スル・スルはそれぞれ同じ形ですが、終止形と連体形と二つに分けるように習うでしょう。しかし動詞全体を見ても、口語では動詞の終止形と連体形はみんな同じ形なのです。同じ形なのにどうして、終止・連体として二つにするのだろう。

それは文語の活用の体系を規範として説明するからなんです。文語だと、

来　　コ・キ・ク・クル・クレ・コヨ

為　　セ・シ・ス・スル・スレ・セヨ

のように終止形・連体形は形が別でした。「行く」などは口語でも文語でも、

行ク　　カ・キ・ク・ク・ケ・ケ

と活用するので、文字の上ではク・クと同形です。だから区別がないように見えますが、実は古文の時代の発音には終止形のユクと連体形のユクの間にはアクセントの相違がありました。ユクと終止する場合は「高低」、ユクサキ・ユクスヱのように連体形の場合は「高高」と、アクセントの区別があった。つまり、終止形ではなく連体形だということは、耳で聞けばはっきり区別がついて、連体形なら強調だと分ったのです。

これは、強い断止として人々に好かれました。そこで、文の途中にゾやカがないときにまで連体形で終止するという風潮が生じました。その言い方が時代とともに広まったのです。つまり終止形ユクと連体形ユクはアクセントも「高高」に統一され、ク・クルという区別、ス・スルという区別は、クル・クル、スル・スルに統一されました。

戦国時代という乱世になり、伝統的文化の権威が薄れたことと相俟《あいま》って、連体形と終止形を区別するという標準が崩壊し、何もないのに文を連体形で終止することが一般的になってしまえば、ゾ・ナム・カ・ヤを文中に投入して文末の形を連体形に変え、強調することの価値、効果は無くなってしまう。それはつまり、連体形終止の係り結びが消滅したということです。

（質問9）

話が変わって、小さなことですが、「大きい」と「大きな」とでは、どんなちがいがあるのですか。

「大きい」と「大きな」は、意味はほとんど同じですね。それなのに、どうして二つの形があるのでしょう。およそ同じ意味の言葉に二つの形があるときには、何かしらの違いがあるのが普通です。

私は「大きい」と「大きな」の例をコンピューターで探してもらいました。森鷗外や田山花袋、樋口一葉から始めて大正・昭和の作家までの用例です。すると、作家によって、どっちを使うか偏りがあることが分りました。しかし、どちらも物の形や面積、容積、あるいは声の音量、物事の規模、程度が大きいことに使い、意味は大体同じでした。

「大きい山」「大きな山」
「大きい声」「大きな声」
「大きい事件」「大きな事件」

この二つには、意味の上では差が感じられない。一つだけ、

大きいお嬢さん

といえば、年齢が上ということ。これを、

　大きなお嬢さん

といえば「なりが大きい、大柄なお嬢さん」ということになる。これは意味がちがう例です。しかし、意味がこれくらいしかちがわないと、無意識のうちに記憶の負担を軽くしたいという気持がはたらき、二つの単語は統合されて、片方の単語はいつの間にか消えて行くものです。にもかかわらず「大きい」と「大きな」とは、およそ意味は同じなのに、現在並んで使われている。これは何故だろう。

　学校で習う文法はみなさん嫌いです。規則ばかり覚えさせられてちっとも面白くない。習ったからといって何ということもない。ところが実は、人間一人一人は心の中で、無意識のうちに、文法的な規則性を誰でも求めているものなんです。そのことを心に置いて、これからの話を聞いて下さい。

　奈良・平安時代のことです。オホシという言葉がありました。これは二つの意味をもっていました。「数量が多い」と、「形が大きい」との二つです。

　　オホシ――――（数量）多《オホ》シ（例えば「此《コレ》ラハ毒多シ」）

　　　　　――――（形）大《オホ》シ（例えば「大キ海」「大キ田」）

人々はこの「数量」と「形」の両方にわたるオホシを、「数量」をいう場合と「形」をいう場合とに言い分けたい、二つの別の言葉で言いたいと思いはじめたのです。というのは、「小」については、スクナシとチヒサシという区別があったからです。

数量――スクナシ→スクナイ

形――チヒサシ→チイサイ

そこで平安時代になると、「大」について、数量の大きさと、形の大きさを区別する言葉を作り出しました。

数量――オホシ、女流文学ではオホカリ

形――オホキナリ

この二つは次のように使われました。

数量――オホク、オホシ、オホキ、または、オホカラ、オホカリ、オホカル

形――オホキニ、オホキナリ、オホキナル

室町時代にはこの二系列のうち、女流文学のオホカリ系列は亡び、オホキニは、程度を表わす副詞に転身して、オホキニ苦シムなどと使い、オホキナリと終止する形もあまり使われなくなり、もっぱらオホキナルが、オホキナとして広まりました。すると次の対立と

なります。

数量――オオイ↔スクナイ（これはイとイとで語尾が一致している一組です）

形――オオキナ↔チイサイ（これはナとイとで語尾が不揃いです）

日本人は文法の授業や文法の本は好みませんが、実は意識の底ではきちんとした文法を誰でも求めているのです。形式が簡単で明瞭なのが好きです。ですから、

オオキナ――チイサイ

という不揃いが不安になりました。そこで室町時代から、その不安の解消のために次の新形を使いはじめました。

オオキナ（昔からある形）↓オオキイ（新形）（昔は無かった）

チイサイ（昔からある形）↓チイサナ（新形）（昔は無かった）

これは「形式の安定」を求めるだけですから、意味の上ではオオキナもオオキイも、チイサイもチイサナもほとんど同じです。

ただ、「オホ《大》イ君」といえば「姉」、「ナカ《中》ノ君」といえば「妹」という使い方が平安時代からあって、年長という意味のオホキイが今日にも残り、「大きいお嬢さん」とは年長の方、「小さいお嬢さん」とは年下です。

このようにしてオオキイとオオキナという二つの言い方が出来たのですが、オオキイとオオキナにはちがいが一つあります。オオキイは「山が大きい」のように文の終わりに使える。そして「大きい山」とも使えますが、「山が大きな」は文の終わりに使えません。「大きい」の方が広く使えます。こういう場合は、使い方の広い方が生き残ります。「大きな」「小さな」は将来消える時が来るでしょう。

第二部　日本語と日本の文明、その過去と将来

（質問10）

このごろ『源氏物語』を読むことが流行しているといわれますが、夏目漱石や森鷗外などは古典である『源氏物語』を読んで自分の文章にその影響を受けたりしたのでしょうか。

そうした話題については、まず漱石・鷗外のころ、文章といえば、およそ次の五つの文体があったことからお話しするのがいいでしょう。①漢文体（漢文そのもの）。②漢文訓読体（漢文を訓み下した文体）。③和文体（『源氏物語』のような文章の系統を引く文体。後にいう擬古文を含み、平安時代の和歌や物語などを範とする、平仮名で綴る文体。漢語を避ける文体です）。④候文《そうろうぶん》体（手紙に使われる文体）。⑤口語体（会話の言葉を文字化しようとした、当時としては新しい文体）。この五つがありました。

さて漱石・鷗外と『源氏物語』とについては、ごく最近島内景二さんが『文豪の古典力』（文春新書）という本を刊行して、漱石が第一高等中学本科の頃（二二歳）、学校の課題として『源氏物語』を読んでいることなどを明らかにされました。漱石は桐壺の巻を引き写したような和文体で、「対月有感」という文章を書いている。その頃の教育課程として一応『徒然草』や『伊勢物語』も読んでいる。また二八歳の頃、友人正岡子規との交流により須磨の巻を読んだと見られる証拠も提出されました。精《くわ》しい有益な研究ですが、私は別の角度からこの問題を眺めてみたいと思います。

漱石が自分の読んだ本について三九歳のときに書いた文章があります。彼は英文と、和文、漢文にわたって述べています。

漱石はまず、英文ではスチブンソン、キップリングその他の作品が好きだと述べ、スウィフトの『ガリバー旅行記』が一番好きで、「名文以上の名文」だと推奨しています。

「次に国文では、太宰春台《だざいしゅんだい》の『独語《どくご》』、大橋訥庵《とつあん》の『闢邪小言《へきじゃしょうげん》』などを面白いと思った。何れも子供の時分に読んだものであるから、此所《ここ》が何《ど》うの、彼所《あすこ》が此《こ》うのと指摘していうことは出来ぬが、一体に漢学者の片仮名ものは、きちきち迫っていて気持がよい。」

「一体に自分は和文のような、柔かいだらだらしたものは嫌いで、漢文のような強い力のある、即ち雄勁なものが好きだ。また写生的のものも好きである。けれども俳文のような、妙に凝った小刀細工的のものは嫌いだ、俳文は気取らないようで、ひどく気取ったものである。これを喜ぶのは、丁度《ちょうど》楽隠居が古茶碗一つをひねくって嬉しがるのと同じ事だ。徒《いたず》らにだらだらした『源氏物語』、みだりに調子のある「馬琴もの」、

「近松もの」、さては『雨月物語』なども好まない。「西鶴もの」は読んで面白いとは思うが、さて真似る気にはなれぬ。漢文も寛政の三博士以後のものはいやだ。山陽や小竹のものはだれていて厭味《いやみ》である。自分は嫌いだ。」
「漢文では享保時代の徂徠《そらい》一派の文章が好きだ。簡潔で句が締っている。安井息軒《やすいそくけん》の文は今も時々読むが、軽薄でなく浅薄でなくてよい。また林鶴梁《はやしかくりよう》の『鶴梁全集』も面白く読んだ。」（「余が文章に裨益せし書籍」『文章世界』一巻一号、明治三九年三月十五日）

ここで漱石が言っている「寛政の三博士」とは、寛政時代（一七八九―一八〇一）の有名な儒学者、古賀精里《こがせいり》、尾藤二洲《びとうにしゆう》、柴野栗山《しばのりつざん》の三人を指します。

この漱石の文章を読んで思うことが二つあります。一つは、漱石は『源氏物語』全体を丁寧に読んではいないだろうこと。もう一つは、漱石の文章の素養は漢文で養われたこと。その二つです。

まず一について。漱石は「徒らにだらだらした『源氏物語』」といっています。そこで私は『漱石全集』によって彼の蔵書を調べて貰いました。漱石は『源氏物語』を持っていたかどうか。漱石は二九冊の『源氏物語』を所蔵していました。それは絵入りの小型の本で、本文の中の会話には発言した人物の略称が簡単に書いてあるものだと、『源氏物語』の専門家池田利夫さんが教えてくれました。つまり詳しい注はない本です。明治二十年代には博文館の『日本文学全書』という活字本が広く読まれていて、『源氏物語』もその中にありましたから、漱石はそれを読んだかもしれない。しかしそれも、頭注はページごとに二、三ある程度のものです。漱石はそれによってどの程度『源氏物語』を理解しただろうか。注釈なしの原文だけで『源氏物語』を巨細《こさい》に理解することは至難のわざ。少なくとも北村季吟の『湖月抄』程度の注を参照しないと、近代の日本語で育った人間が『源氏物語』の中身を精しく読み取ることはむつかしい。

私の見るところ、『源氏物語』は原文の言葉の微妙さが分るようになればなるほど、面白くなり、感嘆するようになる作品です。どのくらい漱石はこの物語を読み込んだか。

そこで漱石先生には申し訳ないけれども、試みに、漱石が子供の時分に読んで面白かったと書いている国文とはどんな文章かと、太宰春台の『独語』を私も読んでみました。その内容は春台の趣味に彩られた和歌の歴史から能楽のこと、茶道のこと、浄瑠璃に至るまで、文学・芸能にわたる概説といえる文章ですが、漢語もかなり交えており、文章はさして推敲につとめた見事なものとは思えません。この程度の文章を面白いと思ったとは、漱石自身書いているように、年の行かない時分の読書だったからだろうと思います。漱石は、島内さんがいうように『源氏物語』を読んではいますが、それは人生に出発したばかりの二十歳代のことでした。

漱石が『源氏物語』を精しく通読しただろうと考える上で私が一番ひっかかるのは、『源氏物語』の内容です。晩年に漱石は男女の三角関係を中心にした数々の作品を書いていますが、最後の作『明暗』を仕上げるために、午前中を執筆に当て、「私」にとらわれた人間の動きや心を描写し、「午後の日課として漢詩を作ることによって、綺麗に洗い清めようと」したということです。こうした漱石の鋭敏な倫理意識は、夫ならぬ男の子供を生むという深刻な三角関係を軸とする、微妙な筆づかいの『源氏物語』の筋を細かく追うに到底耐えないのではなかろうか。『源氏物語』の主題と展開そのものが漱石とソリが合わないというのが私の判断です。

これが森鷗外となると、漱石とは少しちがってきます。彼は和文を書いています。後年旧派の和歌も作っている。一八八九年(明治二二年)、ドイツから帰朝の後、国文学者落合直文、井上通泰たちと、二七歳で翻訳詩集『於《お》母《も》影《かげ》』を出し、そこには英・独の詩の和

訳・漢訳が見事に並んでいます。収められたシェイクスピアのハムレットの一節、

　　オフエリヤの歌
　いづれを君が恋人と
　わきて知るべきすべやある

などは鷗外訳とされています。鷗外は和訳だけでなく、漢訳もいくつもしています。ドイツ人、ニコラウス・レーナウの詩「月光」を、韻を踏んだ漢詩に訳しています。

『於母影』の出た一八八九年は、あの「小諸なる古城のほとり雲白く遊子悲しむ……」(『落梅集』所収)などで有名な島崎藤村の第一詩集『若菜集』に先立つ八年。「時は春、日は朝《あした》、朝《あした》は七時、片岡に露みちて……」などの名訳を含む上田敏の『海潮音』の出版に先立つ十六年です。その頃すでに、『於母影』のような和文の詩をこなしていたとは、鷗外の和文の素養は早くからすでに浅くなかったと見られるでしょう。

ただしここに注意すべきことがある。『於母影』は新声社訳とあり、同人たちの共訳なのです。同人として落合直文という国文学者、市村讃次郎という漢文学者も加わっていて、どの程度手が加えられたかは判りませんが、相互に添削したはずです。

翌九〇年(明治二三年)、鷗外は有名な『舞姫』を書きました。三年前すでに二葉亭四迷

が口語体で『浮雲』を出版していたのですが、鷗外は『舞姫』を口語体でなく、『源氏物語』の文章の系譜を引く文体（つまり和文体）で書き上げました。当時鷗外は二八歳です。鷗外がその後も『源氏物語』に深い関心を持っていたことは、島内さんの指摘のように数々の作品に示されています。しかし鷗外が五〇歳になった一九一二年、与謝野晶子の『新訳源氏物語』の序文に次のように書いていることに私は注目しています。

　最後にわたくしは、なぜ物語類の中《うち》で、特に源氏物語を訳して貫いたかったかと云うわけを一言申し添えたいのでございます。
　わたくしは源氏物語を読む度《たび》に、いつも或《あ》る抗抵《こうてい》に打ち勝った上でなくては、詞《ことば》から意に達することが出来ないように感じます。そしてそれが単に現代語でないからだと云う丈《だけ》ではないのでございます。或る時故人松波資之《すけゆき》さんに此事《このこと》を話しました。そうすると松波さんが、源氏物語は悪文だと云われました。随分皮肉な事も言うお爺さんでございましたから、此詞《このことば》を余り正直に聞いて、源氏物語の文章を誇《そし》られたのだと解すべきではございますまい。併《しか》し源氏物語の文章は、詞《ことば》の新古は別としても、兎《と》に角《かく》読み易い文章ではないらしう思われます。

そうして見ますれば、特に源氏物語の訳本がほしいと思っていたわたくし、今晶子さんの此本《この》を獲《え》て嬉しがるわたくしと同感だと云う人も、世間に少なくないかも知れません。

ここで鷗外は「源氏物語を読む度に、いつも或る抗抵に打ち勝った上でなくては、詞から意に達することが出来ない」「源氏物語の文章は、詞の新古は別としても、兎に角読み易い文章ではないらしう思われます」といっています。つまり、文章に明敏な鷗外は、『源氏物語』の文章から十分に原文の意を汲み取りにくいと感じ、読み易くないと、ずっと思っていたわけです。

小説を書き始めたとき鷗外は『源氏物語』の文体を自分の作品に取り込んだものの、おそらく不安を感じていたのでしょう。そこで彼が次に、和文や、当時生れたばかりの口語文ではない文体として用いたのは、漢文の訓読の文体でした。その一例を挙げます。

世に評価の高いのは明治二五年(鷗外三〇歳)から書きつがれた『即興詩人』です。その翻訳はもとのドイツ語の文章を超えるといわれ、新しい和文体の創造として畏敬し愛好して止まない方々もありましたし、今もあることを私は知っています。しかし私の見るところ、『即興詩人』の文体は和文とは言えません。

帰路に咖啡店《カツフエエ》に立寄りしに、幸《さいわひ》にベルナルドオに逢ひぬ。羨《うらや》むべき友なるかな。彼はアヌンチヤタに近づき、アヌンチヤタともの語《がたり》せり。友のいはく。アントニオよ。奈何《いか》なりしぞ。汝《そなた》が心は動かずや。若《も》し骨焦《こつこ》がれ髄《ずゐ》燃えずば、汝は男子《をのこ》にあらじ。さきの年我《わ》が彼に近づかんとせしとき、汝は実《まこと》に我を妨げたり。汝は何故にヘブライオス語を学ぶことを辞《いな》みしか。若し辞まずば、かかる女と並び坐することを得しならん。汝《そなた》は猶《なほ》アヌンチヤタの我猶太少女《わがユダヤをとめ》なることを疑ふにや。

これは漢文の訓読体を基礎とする文章です。ヨーロッパの新しい文物、人の動きをこうした文体で訳すことは当時は新鮮で美しく見えたことでしょう。

では『源氏物語』の文体を消化した見事な和文を書いた人がいるかといえば、樋口一葉の名が浮かんで来ます。その日記の文章は流麗で品がいい。一葉は若くから中島歌子の萩《はぎ》の舎《や》塾に入門して香川桂園派の和歌(つまり旧派の和歌)を習っている。そうした和歌の下地があって『源氏物語』に近づいていったと思う。そこから一葉の日記の文章が生れたのだと推測します。

少し長いのですが、句読などをつけて読みやすくして引用します。明治二四年四月十一日の上野の花見の日記です。

　わがすむ家より上野の岡は遠きほどにてもなかりければ、まだ朝露のしげきほどに来にけり。聞きけんやうにもあらず。清水《きよみづ》の御堂の辺りこそ大方うつろひたれど、権現の御社《みやしろ》の右手の方など若木ながらまださかりなりき。さと吹く朝風のひやゝかなるにぬれたる花びらのふゞきとばかり散りみだるゝはいとをしくて、おほふばかりの袖もがなといはまほしけれど、例のと笑はれんがうしろめたくてやみぬ。澄田《すみだ》川《がは》にも心のいそげば、惜しき木かげたちはなれて車坂下るほど、こゝは父君の世にゐ給ひし頃、花の折としなればいつも〳〵おのれらともなひ給ひて、朝夕立ちならし給ひし所よと、ゆくりなく妹のかたるをきけば、むかしの春もおもかげにうかぶ心地して、

　　山桜ことしもにほふ花かげにちりてかへらぬ君をこそ思へ

心細しやなどいふまゝに、朝露ならねど二人のそではぬれ渡りぬ。

漱石も鷗外も結局『源氏物語』をよく分る文章として読んだかといえば、そうではなさそうだと私は思います。

「思うことが二つあります」と先に私は言いました。二つ目のこととは「漱石の文章の骨格は漢文で養われた」ということ。それは鷗外についても同じです。これの方が重要です。彼らの文章は、『源氏物語』の影響を受けるよりもはるかに大きい影響を漢文とその訓読体から受けている。むしろそれが彼らの文章の基礎をなしている。

漱石も鷗外も若い時から漢文そのものに心を注いでいた。また漢文の訓読系の文章を好んでいた。それを基礎としてヨーロッパ語を学び、その上に自分の現代日本語による文章を構築した。それは情趣に傾かない、文章の論理性、明晰さへの志向を、彼らが若い頃から心の底に養っていたということです。漱石などは「徒らにだらだらした『源氏物語』」と明らかに和文に低い価値を与え、馴染もうとすらしていない。そればかりか、「雄勁なものが好きだ。また写生的のものも好きである」と書いています。

今時の若い人々は、「漢文なんて古臭い、そんなものいらないじゃないか、昔の人は昔だから漢文を読んだだけだ」と思うでしょう。文部科学省のお役人もその線で考えているように見えます。

私が何でこんなことを改めて言うか。私はここで漢文を読まなくなった日本人、ことに漢字教育の大幅な削減のもとで育った敗戦後の日本人を心に置いているのです。どんな変化が起こったのか。

日本の文章の歴史を見渡して下さい。漢文訓読系の文体と和文系の文体とがあります。日本語のための文字として平仮名が作り出され、流通するようになるのと並んで、平仮名は『古今集』以下数多くの和歌集、『源氏物語』を代表とする物語を産出し、そこに日本人の心情、情緒を表現する和文の文学が確立されました。内容は四季の移り行きの情趣と恋愛が中心で、その微妙な動きをとらえています。和文は一つの流れをなし、女性はもっぱらその文体に馴染みました。先の一葉の文章もその例です。

しかし男たちはもう一つの面、漢字・漢文の学習に骨身を削ったのです。儒教も仏教も行政も歴史も医学も、みな漢文によって成立していた。漢文は和文に較べて抽象概念を表わす言葉がはるかに多い。また漢字二字を組み合わせて一つの語としますから、一語でありながらその中に二つの概念を含むのです。それがお互いに意味を限定し合っている。

ヤマトコトバでは「みとめる」(認。これも「見」と「止める」の複合語ですが)一つしか言葉がないところを、

認知・認可・認定・認識

と区別できる。これに承認、黙認を加えることもできるでしょう。これらをヤマトコトバで言い分けてごらんなさい。日本人はこれらの精細な意味区別をヤマトコトバで行なう工夫をせずに、輸入品である漢語(つまり漢文)に頼って語彙を拡大し、精密化し、それを消化して使いこなすことで一〇〇〇年以上を過ごしてきました。現代語の小型の辞書は六万語を収めていますが、その半分、三万語はこうした漢語が占めている。それなしでは現代日本語は運用できないのです。

ヤマトコトバは音節の数がアイウエオカキクケコ……ザジズゼゾ、シャシュショなどを全部合わせても大体一〇〇しかない。だから、一音節語は田《た》とか名《な》とか一〇〇語程度しかなくて、音節を二つ以上組み合わせて言葉を作る。その結果、「やま(山)」「うみ(海)」「あく(明く)」「とる(取る)」のように基礎的な言葉は多くは二音節語となる。例えば「黙認」をヤマトコトバで言えとなると、ダマッテミトメルと八音節使わなくてはならない。それでは長すぎて、「黙認」という事態を一個の観念として定立しにくい。実用上こまる。

そこでモクニンと四音で間に合う漢語を取り入れたのです。認知《ニンチ》と認可《ニンカ》をヤマトコトバで言い分けなさいといわれたら何と言いますか。ヤマトコトバでは、それぞれを一語として区別できない。長々しく説明する以外にないでしょう。もし漢字が無かったら、日本人はこの認知と認可という二つの別の事実をそれぞれ一語で指し分けることができない。

そこで英語を見るとしましょう。動詞として acknowledge（認知する）と approve（認可する）がある。この二つを漢字無しで区別できますか。つまりヤマトコトバだけの体系は、漢語や英語の精確な意味区別を一語としては把握し確立することができない体系なのです。

ヤマトコトバは、それだけでは、生活の複雑化・多様化に伴って発達し精密化して行く物事を一語一語で表現することができない。『岩波古語辞典』を作って行く途中で、私はこのことに気づきました。それはこんな次第によってでした。古語について、どんな種類の言葉から辞典の原稿を作りはじめようかと考え、私は形容詞から始めることにしました。ことにシク活用の形容詞から始めました。形容詞は区分けすると、二種類ある。

①ク活用形容詞――タカク、ヒロク、スクナク、セマク……主に状態を表わす
②シク活用形容詞――ウツクシク、ウルハシク、ウレシク、カナシク……主に情意を表

わす
②の情意表現の方が微妙で、かつ時代的に変化が大きいので、研究するのに面白そうに見えたのです。やってみると事実そうでした。その変化をたどるのは興味津々でした。個々の語の意味は微妙に相違し、それを見分ける努力は楽しいものでした。これは情意について日本人が細かい神経を使い、生活においていつも細やかに心くばりをしていることの反映なのでした。

何年かかかってそれを一通り終えて、状態を客観的に表わすク活用形容詞に移ったとたん、ちっとも面白くない。使い方が定型的で、しかも年代がたってもさっぱり微妙な変化もない。精密化することもない。協力して原稿を作ってくれていた人たちも、みんなつまらないと言いました。このとき私は、物事の認識力と認識した結果を表現する言葉とに密接な関係があると悟ったのです。

つまり日本人は客観的事態をこと細かに認識してそれぞれを一つの観念として区別し、確立し、表出しようとする意識を年代と共に深めては行かなかった。ヤマトコトバでは、古来、おおまかな定型的なとらえ方をしたまま、ずっと来た。外の世界を精密に見分け、言い分ける意識を大人が持たないから、言葉がいつまでもおおまかなままで、いわば固定している。したがって子供も細かい観察眼を言葉によって養うことがなかった。

このことに日本人全体が気づかずに生活して来ている。

漢文を習った一部の人々は漢語による精細な表現を知った。そして、輸入品の漢語をそのまま使い馴らすことに心をつかって、ヤマトコトバを精錬しようとはしなかった。

ヤマトコトバにはヒロシと一つしかない。漢語を使えば、

広大、広汎、広漠

という区別ができる。ヒロシという訓を与えた漢字は、平安時代の『類聚名義抄《るいじゅみょうぎしょう》』という漢和字典には、博、汎、宏、闊、弘、寛、以下、七二字に及んでいます。ヤマトコトバにはこれらの各文字が表わす意味の相違を、ヒロシから進んで、ほかに区別する単語がないままだった。タカシについても、高、卓、峻、隆、孝、貴など一一八字がある。その各々の漢字のタカイ状態がどうちがうのかを、およその日本人は認識し分けることはなかったでしょう。ともかくこれらはヤマトコトバではヒロシとタカシにおおまかに包括されている。もちろん日本語にも「手広い」、「幅広い」、「小高い」など細分する言葉はいくつかはある。しかしそれは物の数ではない。

こうしたヤマトコトバの形容語の少なさを補おうと、単語を組織的にふやすことに努め

た人がいます。紫式部です。漢籍を極めて広汎に読んでいて、漢語が語彙の豊富さで卓越しているのを見た彼女は、『源氏物語』を書くときに心理や状態を細かく意識し分け、表現し分けようと、漢語をそのまま持ち込まずに、次のような組織的な造語を行ないました。

うるはし　ものうるはし　うるはしげなり　うるはしさ
このまし　ものこのまし　このましげなり　このましさ
わびし　ものわびし　わびしげなり　わびしさ
かなし　ものがなし　かなしげなり　かなしさ

この類は多く情意を表わすものですが、ウルハシのように客観的事態を表現するものもある。ワビシ、カナシは情意語ですが、そこからワビシゲ、カナシゲなど様子を描写する言葉を作っています。これが三〇組ほどあります。たいていの作者は「うるはし」「このまし」のような単純な表現に終始していたのです。彼女にはそれが不足、不満でした。彼女の他にこれらの単語をこれほど体系的に多く駆使した人はありません。紫式部はこの造語によって心情だけでなく客観世界をできるだけ精細にヤマトコトバで描写したいと工夫したのでした。ここに彼女の類を絶する言語感覚が現われています。これはむしろ例外的です。

明治時代、日本が文明をヨーロッパに学ぶ、という方針に転換したとき、日本人はこの漢字・漢語という手段を身につけていた。だから、acknowledge と approve という概念を「認知」、「認可」として日本語に取り込めた。和文だけの世界に生きていたなら、ヨーロッパをこれほど早く、一〇〇年で取り入れることはできなかった。東南アジアの、漢字という媒体を持った経験のない民族の言語では、民衆の知識の精度がこまかくならず、ヨーロッパ語習得の可能だった特定の階層だけが国の支配階級を形成してきました。

漱石や鷗外だけでなく、明治時代、大正時代の人々は、漢文ができた。漢語を多数駆使できた。それが彼らの日本語に豊富さを与え、事態の精細な理解把握に役立っていた。彼らは漢文を学んだ上でヨーロッパ語を習得し、そこで簡潔とか的確とか明晰を獲得し、その頭脳で物事を考えていた。その後それはどうなったでしょうね。

（質問11）

まだお話の途中ですが、ちょっと質問させて下さい。漢字と漢文とをずいぶん重く見ておいでですね。漢文を復活させたいというお考えなのですか。

今さら現代日本語教育の中に漢文や、その訓読系の文章をそのまま復活させるべきだと言うつもりはないのです。漱石も鷗外も漢文とその訓読に発した文体で育ちました。その漢文と訓読系の文章は、日本人にとってどんな役割をしていたのか。漢文を学ばなくなったことによって何か失ったものがあるとすれば、日本人と日本語とは何を失ったかを言いたいのです。

私は昔、何人かの文筆家や学者と対談したことがありました。その相手の一人、加藤周一さんは『日本文学史序説』を書いた後でした。話題は次のことに及びました。

国文学について、江戸時代までの「日本の文学」という概念と、現在の「国文学」という概念は違ってしまった。今は、大事なものが欠落している。漢字の文学に対する扱いである。漢字文学は今の国文学史のなかでほとんど扱われていない。作品の注釈も行き届いていない。

「日本人は、その感情生活を日本語〔ヤマトコトバ〕で書いて、知的生活をシナ語、あるいは漢文で表現してきたということです。……それを無視することは、もし日本文学を読む目的が、過去の日本人の心の歴史の全体を見ることだとすれば、うまくないでしょう」と加藤さんは語りました。

中村真一郎さんは『頼山陽とその時代』という本を書いています。それは頼山陽を中心とする江戸時代の日本人の作った漢詩集を味読した上での作品でした。その本には頼山陽に恋した女性詩人の実に立派な漢詩も示されていた。日本の文学史はそうした情熱のこもった女性の作品の存在すら教えてはくれなかった。私は中村さんの本で、初めてそれを知ったのです。漱石も鷗外も漢詩を作っています。

それでも文芸だけのことなら漢文を学ばなくてもいいかもしれません。しかし漢文を習うことは、実は文芸を学ぶのではなく、最初から倫理や論理を教えられることだったのです。

私は中学一年で『孝経』の全文、二年で『日本外史』、三年で『十八史略』、四年で『論語』『孟子』を習いました。『日本外史』以下はもちろん抜粋本です。高等学校でも『論語』『孟子』。今は忠孝といっても分らない生徒、学生が多いでしょう。しかし戦前は忠孝が倫理の軸でした。それを中学のときから漢文で学んだのです。『孝経』は、孝とは何かを組織的に教える本でした。

『論語』といえば古くさい儒教の世界観を軸とした書物と思うでしょう。しかし私などはそれを習ううちに多くのことを学びました。そこには深い人間観察があり、人生のあり方を示唆する多くの言葉があるのでした。それは二五〇〇年を経ても決して古びることのない洞察に満ちています。今でも覚えているいくつかを挙げてみましょうか。

・知るを知るとせよ、知らざるを知らずとせよ、これ知るなり。

・朝《あした》に道を聞かば夕《ゆふべ》に死すとも可なり。

こうした言葉から中学生の私は学問することの厳しさを感じとりました。

・顔回といふ者あり。学を好む。怒りを〔他人ニ〕遷《うつ》さず。過ちを貳《ふたたび》せず。不幸短命にして死せり。今や即ち亡《な》し。〔ソレ以後〕未だ学を好む者を聞かざるなり。

顔回が死んだ時のことも書かれていました。

・顔回死す。子哭《こく》して慟《どう》す。従者曰《いは》く、子は慟《どう》せり。曰く、慟すること有りしか。夫《か》の人の為に慟するに非《あら》ずして誰が為にか慟せん。

孔子は顔回の死に遭って身をふるわせて泣いた。従者が後で、「先生は声をあげてお泣きになりましたね」と言った。孔子ははずかしかったのでしょう。「そんなにはげしく哭《な》いたかねえ」と言った。けれども「彼の為に慟哭せずして誰のために慟哭することがあろう」と言葉をあらためた。孔子はその時、「噫《ああ》、天われを喪《ほろ》ぼせり。天われを喪ぼせり」と言ったとあります。信頼し、期待する弟子の夭折に出会った孔子の姿を思って、師の心というもの、人物を信頼するということを、私は深く胸に刻みました。

その頃はこれをしたいという何か一つの明確な志を私はまだ持っていませんでしたが、

・三軍も帥《すい》を奪ふべし、匹夫《ひっぷ》も志を奪ふべからず。（たとい大軍であろうと指揮官を奪うことはできる。しかし、たといつまらない男であってもその志を奪うことはできない）

・年寒うして松柏の後れて彫《しぼ》むことを知る。（寒さのきびしい年こそ、たやすく葉のしぼむ木々の中で松や柏の葉は仲々しぼまないものだということが分る）

困難に遭ってたやすく志を失うようではいけない、志をしっかりと立てなさい、と中学生はこれを読みました。

数々の言葉があり、人間についての洞察が簡潔に述べられている。これらは長い人生を生きるうちに、ああそうなのだと分る多くの智恵を与えてくれるものでした。

また『孟子』を読むと、孟子が国王を説得する論理の展開が鮮やかでした。論理の重要性については、私は以前、学んだことがありました。

中学四年生のとき、私は幾何が分らなくなり、やむなく二年生の教科書から学び直しました。平行線は交わらないという公理を出発点として、同位角は相等しい、二辺と夾角の等しい三角形は合同であると展開し、次々に定理を重ねて行く一冊の教科書を復習し終えたとき、ああ、学問とはこんな風に論理的な発展をして行くものをいうのだなと思ったことがあるのです。『孟子』を読んで、学問と議論とは基本は同じことなのだと知りました。

これを和歌、和文に求めても得られません。わずかに『枕草子』や『徒然草』に人生の智恵にわたる章があるにはありますが、趣味的な美意識の彫塑に寄っているように思われました。つまり思考の論理的展開、人間性の洞察については、日本人は漢文に頼って学んで来たといえるでしょう。

もちろん人間性の洞察ということになれば、和文として漱石が好かないと言っている『源氏物語』もあり、近松の作品もあります。『曾根崎心中』『女殺油地獄』その他には、とめるにとめられない情熱にひかれて、人倫にはずれ、世間の義理との板ばさみになって死に至る人々の姿があります。そこには人間存在の深淵を読み取っている作者がいて、人間の心情を精細に描いています。決して人間観察がゆるいとか甘いとかいうことはない。

和文でそれを表現しています。しかし、それらは物語であり、劇であり、論述ではない。

つまり、日本人は漢文そのもの、その訓読系の文章によって明晰、簡明、論理的な組織化の重要さを学び、和文系の表現によって優しい心、自然を感受する心、情意のはたらきを受けとる能力を養って来た。その二つが日本人の心をはたらかせる車の両輪だった。

しかし、長らく日本人の知的生活とともにあった漢文・漢文訓読系の文章に大きな転換点が来ました。敗戦です。

（質問12）

戦争に敗けることがそんなに言葉に影響するものなのですか。

敗戦とは国家と国家の衝突の結果です。それは文明と文明の衝突であることもあり、古来の例では敗者に対して残酷な扱いがなされるのが常でした。政治上の主権者の交代だけでなく、変化が言葉にも及ぶ例はいくらでもあります。

例えば有名なノルマン・コンクェストは一〇六六年ですが、ノルマンディー公ウィリアムがイングランドを征服して王となってから、イギリスの新しい支配階級や高級聖職者はほとんどノルマン系が占め、その人たちはフランス語を日常語として使っただけでなく、それを公用語として——つまり法律や裁判や教会の用語としても——使いました。

私は『ベーオウルフ』という八世紀のいわゆる古代英語による英雄物語をのぞいたことがあります。その動詞の人称語尾は現代のドイツ語とおよそ同じで、英語がゲルマン語の仲間だということは素人目にも分りました。その英語は庶民の日常生活の言語としては生き続けていましたが、十四世紀の後半から英語が再び公用語として再登場したときには、古代英語の姿は全く変わっていました。ノルマン化したフランス語の影響で、古代英語の動詞の人称語尾はほとんど落ちるなど、文法的な形がすっかり変わっただけでなく、単語も八五%はフランス語に変わったといいます。

われわれが基本的な英語として中学校で習ったdress(着物を着る)、table(卓)、face(顔)、person(人)、uncle(伯父)、aunt(伯母)などもフランス語から来たものだそうです。tax(税)、prison(刑務所)、legal(合法的)などがフランス語から来ているということは、四〇〇〇年にわたって統治していたフランス系の行政の残映として自然に理解されるでしょう。

日本の敗戦後、占領軍は街の方々に標識を立てましたが、その中にpedestrian(歩行者)という指示がありました。walkerとは書いてなかった。pedestrianはフランス語系の単語、walkerは古くからの英語です。つまり今でも公式なときにはフランス語系の単語を使うことがあるのを私は見たのでした。日本語で「歩行者」と「歩く人」とが違うのと同じですね。

こうした例でも分る通り、戦争に敗けることは、政治上だけではなく、言語上にも大きな変化をもたらします。

敗戦によって日本に課されたことは憲法の改正、軍備の禁止、財閥の解体、農地の解放、千島・樺太・朝鮮・台湾の領有権の放棄などでした。天皇の神格化の否定は忠と孝を主軸とする倫理の体系の崩壊であり、代わって近代の民主主義、自由と平等という全く異なる価値観が導入され、その普及が精力的に進められました。

日本人は外国から思想、制度を輸入するときに、その思想や制度の背後に何があるかということまでは深く追究しないまま、(あるいはそれを広く国民に知らせずに)形だけを真似ようとつとめる。だから自由、平等へと方向転換がなされると、自由とは根本的に何なのか、どんな経過をとって確立された観念か、それを維持するには何が必要かというように考えを展開させずに、人々は自由を、何でも勝手をすることと受けとってしまう。自由とは自律することの自由、国家からの自由にはじまること。自由には責任と義務が伴う。それは理解しない。平等とは機会の平等であるのに、人間は均一であるべきものと思ってしまう。その結果、小学校では徒競走をさせないなどの滑稽なことが生じていますね。

今は戦後の文字政策のことをお話しししたいと思います。

戦争終結、占領開始にあたって、アメリカ側は日本人が硫黄島や沖縄でこれほど決死の覚悟で最後まで戦ったのは何故かと考えたのです。「日本人は間違った情報を伝えられていて、正しい情報を得ていないにちがいない。何故なら、新聞などがあのようなむずかしい漢字を使って書いてある。あれが民衆に読めるはずはない。事実を何も知らないから、あんな死にもの狂いの戦い方をするのだ。だから、日本に民主主義を行き渡らせるには、日本人に情報をきちんと与えなければいけない。そのためには、漢字という悪魔の文字を使わせておいてはいけない」。その考えを受けて、「漢字をやめてローマ字か仮名文字か、何らかの表音文字にすべきである」ということを、来日した教育使節団は勧告しました。当時の「勧告」は行政命令でした。

アメリカ軍がこの勧告を出したときに、明治時代から活動していたカナモジカイとROMAJIKAIという団体は、日本語をすべてカナモジあるいはローマ字にしようという主張実現の「時こそ至れ」と大いに喜び、早くそれを行なってしまおうとしました。占領軍が行政命令を出してしまえば、よしあしの論議を封じて実行可能だからです。

ところがその当時、参議院議員であった作家の山本有三は、「右でも左でもない、ミドルだ」というのをもじって、「緑の風の会」、つまり「緑風会」という団体を作って政治活動を行なっていました。彼はもともと国字問題に関しては一家言を持っていて、カナモジカイに近い姿勢を取っており、戦前に『戦争とふたりの婦人』という作品を、漢字五〇〇字しか使わずに書いたりしていたのです。それでも彼は、このようなアメリカの勧告の動きを見て、「外国人に日本の国語をいじられるのは甚だ耐えがたい。われわれが自分でやるから、自分に任せてもらいたい」と申し出ました。

その結果、彼が中心となって、カナモジカイの松坂忠則《まつさかただのり》、ROMAJIKAIの土岐善麿《ときぜんまろ》などの人々と国語審議会を運営し、文部省を通して変革を矢継ぎばやに行なった。当用漢字表、現代仮名遣は敗戦翌年の昭和二一年に決定され、内閣告示という形で広められました。

こうした漢字制限の動きはすでに明治時代からありました。上田万年《かずとし》という明治時代の言語学者がいましたが、彼は一八九〇年(明治二三年)から五年間ドイツその他に留学して、ヨーロッパの言語学を学んで来た人です。ヨーロッパの壮麗な建築、都市、その他の文明の実情を見て、何とかして日本をヨーロッパに追いつかせたい。日本がヨーロッパに後れをとっているのは、何千、何万という漢字を使い、その習得に時間がとられるからだ、と判断し、日本の国字を仮名、あるいはローマ字に変えることを考えた。二七歳で帝国大学教授となった彼は、国語調査委員会をつくり、方言調査を行なうなど、いろいろ活動しました。そこには金田一京助などの学者の卵がいたのです。金田一京助は上田万年に学び、日本語の表記として、漢字を制限し、表音式仮名遣を使うようにしなければいけないという考えに同調するに至った。この流れを汲む人たちが文部省の国語課にいました。この文部省国語課は、戦争中は南方に向けて日本語を普及するという仕事をしていたのですが、敗戦によってその仕事がなくなった。そこに、今後の日本語をローマ字化する、仮名文字化するというアメリカの動きが出てきたわけで、国字改革の作業の中心は文部省だと、この仕事にとりかかったのです。

漢字制限の動きについて、積極的に協力し推進したのが新聞社です。戦前の新聞を御覧になると分りますが、総ルビではなくても、かなり濃密にルビが付いています。当時は今のようなコンピューター植字はなかったので、一字一字鉛の活字を拾って組む厄介な文選《ぶんせん》という仕事がありました。文選の作業は、時間もかかる上に、組み直しなどがあったときは大変なことになる。何とか漢字を制限して、早く新聞がつくれるようにしたいと新聞社は望んでいた。そのため大正十二年頃にはすでに、漢字を一八〇〇字に制限するという案が出来ていました(もしその頃、今のコンピューターが出来ていたら、漢字制限の動きは大きく変わっていたでしょう)。新聞社はアメリカのＣＩＥ(ＧＨＱの民間情報教育局)の動きを非常に喜び、ことに朝日新聞などは社内にカナモジ論者がいて、漢字を何とかして追い出さなければ日本はだめだと強硬に言ったりするなど、ＣＩＥの動きに同調したのです。

つまりカナモジカイ・ROMAJIKAIと新聞と役所の三者が組んだ。この三つが組んで文部省という権力を使うことによって、「内閣告示」という形で漢字制限を有無を言わさず進めていきました。

たしかに漢字には四万字以上があります。いつもそんなに使うわけではありませんから中型の漢和字典は一万字、小型の漢和字典は七〇〇〇字を収めています。普通には三〇〇〇字知っていれば間に合うのですが、コウという音の漢字が四〇〇字以上、ショウは三〇〇字以上ある。中国語はアクセントを含めて母音も子音も複雑な発音の区別を持っているので、多くの音節を言い分け、聞き分けることができる。しかし日本語はおよそ一〇〇の音節しか持っていない上、いつも母音で終わる。だから、中国語では区別できる音が、日本語では一つの音に寄ってしまう。その結果、同音で意味のちがう単語が数々生じます。文脈によってそれはおよそ区別できるのですが、キカンという音の漢語は、機関・期間・帰還・器官・基幹・亀鑑・奇観・季刊・既刊・旗艦など二十余りの同音異義語がある、これでは耳で聴いて分らないではないかとカナモジカイは攻撃をしました。

ともかくヨーロッパでは二六字だということは魅力でした。それだけで一生間に合うという錯覚が生じます。二六字は、それを組み合わせて単語を作る要素にすぎず、組み合わせた結果は結局一万語は知らなくては新聞を読むことも、文章を書くこともできない。二六字に幻惑された人々には、そのことはよく見えなかった。

当用漢字表が告示されたのは昭和二一年、敗戦の翌年でした。ですから本格的な調査などは何もしないで、大正時代からあった一八〇〇字案を土台にして、会議を開いては、この字を入れるか入れないか、ただ委員の個人的な好みや判断を述べ立てて決めて行ったのです。当時、一二〇〇字にしようという主張があって、実際に一二〇〇字で新聞をつくってみた。ところがどうしても一二〇〇字では社会生活に必要な言葉を数多く仮名にせざるを得ず、その結果文章が分らなくなる、つまり新聞がつくれないということが分って、一八五〇字となったのです。

その漢字が熟語としてどれだけ造語する力があるかという調査表はあったようで、熟語の例が多ければ、役立つから入れる、組み合わせが少ない漢字は落とすという一つの原則を立てたらしい。時枝誠記《ときえだもとき》先生などもその会に呼ばれて出席していましたが、その会議から研究室に帰ってくると、いつもとても不機嫌で、あんなことをやっていていいのかと、しきりに言われました。

当時の話で私が聞いて覚えていることがひとつあります。それは、「魅力」の「魅」の字を入れるか入れないかということです。「魅」という字は「魅力」と「魅惑」と「魑魅《ちみ》魍魎《もうりょう》」と、三つぐらいしか使う熟語がないから落とす、という主張に対して、「魅力」という言葉がなくなると日本語に魅力がなくなる、という山本有三の主張によって、結局この字は入ったのだそうです。そういう会議の結果が一八五〇字の当用漢字です。

その二年後に教育漢字も決めました。教育漢字は当用漢字の半分以下に、というわけで、中学校三年までに八八一字ということが決まりました。八八一字というと、いかにも研究した結果が八八一字になったように見えますが、原案は八八〇字で、これを発表する日の朝になって勘定してみたら八八一字あることが分って、いまからどれを削るかというのはとても決められない、しょうがないからこのまま発表しようというわけで、八八一字ということになったのだと国語課の人から聞きました。漢字を減らしてしまえばいいというだけの考えによるこの決定が、あとでどんな結果を日本にもたらしたか、人々はそれに気づきませんでした。

私の見るところ、ここで日本とアメリカの科学的思考に対する姿勢の相違が現われます。日本では矢継ぎばやに改革を進め、昭和二一年には漢字制限や新仮名遣を決定して内閣告示として広めました。アメリカは国字政策として漢字を全廃し、ローマ字か仮名に変更するようにとの勧告、つまり行政命令をすでに出しているので、その実行に先立って、まず日本人がどのくらい漢字が読めるのか、その実態を知らなければいけないと考え、昭和二三年、ＣＩＥは費用を日本政府に出させ、「日本人の読み書き能力」調査を企画実施しました。この調査委員会は多くの言語学者、統計学者を動員しました。言語学者としてはローマ字論者が多かったようです。

調査は統計学的に極めて厳密に計画され、また遂行されました。この調査に参画された国立教育研究所の石黒修さんの文章によって、その大体を見ましょう。

「問題ができると、問題の妥当性・適応性・信頼性を検討するために、小・中学校の相当学年の児童・拘置所にいる未決の人々・宗教団体など十ヵ所、一、二五〇人について予備調査をおこなった。そうして問題がつくられると、問題の当否・調査の方法・調査される人のぬき出し方、などを検討するために、都市・農村・漁村のモデルとして小田原市・埼玉県野本村・千葉県長浦村で、準備調査をおこなって、問題や調査の方法をつぎつぎに改良して、大体それがいいということになると、調査が全国同じ条件で、同じ方法でやられるために、調査をする依頼する人々に講習をし、また詳細な注意書きを刷って、それに

よればできるようにされた。」（『日本人の言語生活』東京大学出版部、一九五一年）

サンプルにあたった人が、たとえ、町村の有力者であっても、精神病者であっても、字が読めず、目が見えず、耳が聞こえなくても、厳密に機械的にサンプルした。サンプルは十五歳から六四歳までの男女としました。

柴田武さんから私は次の話を聞きました。福島県で戸籍台帳によって選ぶと、山の上で炭焼きをしているおばあさんが当った。そこへはジープを出して迎えに行き、町役場に連れて来て問題をやらせた。一字も書けなかった彼女は涙を流して、「申し訳ありません。これから心を入れかえて勉強しますから、どうか勘弁して下さい」と謝ったそうです。

このようにして当時の人口、七七五五万人から一万七一〇〇人選んで実際には一万六八二〇人が受験。九八・二％という驚くべき回収率でした。ここで問題を見ましょう。

問題の㈠は係員が読み上げて、それに合う仮名や漢字を選ぶ問題です。㈠の・・∴∵は ひらがなで「さくら」「たどん」「かぼちゃ」「きっぷ」。カタカナで「アメリカ」「ウドン」「チャボ」「コップ」と書くこと。㈢㈣もやはり読み上げたものに当る仮名や漢字を選ぶ問題です。

(一)

○	・	⋰	⋰	∷

○	・	⋰	⋰	∷

(二)

○大正《たいしょう》2《に》年《ねん》8月《はちがつ》□日《にじゅうはちにち》

明治《めいじ》28年《にじゅうはちねん》9月《くがつ》□日《じゅうろくにち》

○三丁目《さんちょうめ》□《に》番地《ばんち》

五丁目《ごちょうめ》□《ろく》番地《ばんち》

(三)

○	あなま	あたま	あゆま	あらま	あひま
△・	ネユ	ネロ	ネヒ	ネコ	ネヨ

□・	きる	なる	ちる	もる	さる
△⋰	ザラス	かラス	アラス	カラス	ガラス

□⋰	たゾこ	たがこ	たぱこ	たばこ	たはこ
△⋰	ミシン	ミシシ	ミシい	ミシレ	ミシツ

□⋰	みかあ	みかん	みかソ	みかし	みかむ
△∷	オモタャ	オモチ	オモチャ	オモチョ	オモツ

□∴	こんにあく	こんなゃく	こんにゃく	こんにく	こんにょく
△∵	マンチ	マッチ	マチ	マチチ	マアチ

□∵	あさって	あさあて	あさて	あさんて	あさてて
×・	四円《えん》	七円《えん》	八円《えん》	入円《えん》	九円《えん》

×⋰	1キロ	5キロ	4キロ	3キロ	8キロ

(四)

○	日木	日米	目本	日本	二本
□・	山口	出口	出日	戸口	入口
□‥	窓口	宇付	受付	沖月	受取
□∴	木手	切付	功手	手形	切手
□∷	場所	日時	場面	所場	湯所
□⁙	用意	中位	注意	注竟	汽車

△・	電活	雷和	通話	電話	電信
△‥	改札	出札	改礼	着駅	収札
△∴	末借	本箱	戸籍	本席	本籍
△∷	告申	言告	深刻	申告	申込
△⁙	縣	係	役	系	持

(五)

□《つき》を見《み》る。
□《せんせい》お体《からだ》を大切《たいせつ》に。
お□《てがみ》いただきました。
この子は□《しょうわ》生《う》まれです。
みなさん□《げんき》ですか。
のちほど□《つうち》します。

さっそく□《へんじ》をしましょう。
あつく□《おんれい》申《もう》しあげます。
□《ごうけい》すると千円《せんえん》になります。
私《わたくし》には□《いもうと》があります。
お□《ねが》い致《いた》します。
□《ほしょうにん》になって下《くだ》さい。

かぜをひいて□《けっせき》した。
役場《やくば》へ□《とどけ》を出《だ》す。
右《みぎ》のように□《せいきゅう》致《いた》します。
ともかく□《りれきしょ》をお出《だ》しなさい。

(六)

○朝《あさ》、太陽《たいよう》は｛冬・東・雨・上｝から出《で》る。

病気《びょうき》のときは｛健康・死亡・医師・危険｝にみてもらう。

きょうは砂《さ》糖《とう》の｛配給・産業・食糧・数量｝があります。

わが国《くに》は米国《べいこく》から小麦《こむぎ》を｛資金・輸入・法案・声明｝する。

選挙《せんきょ》のときは、もっともよい人《ひと》に｛結果・発表・委員・投票｝したい。

あの人《ひと》の｛態度・国民・各派・必要｝は立派《りっぱ》だ。

大会《たいかい》の日時《にちじ》を｛労働・予算・決定・事件｝した。

私《わたくし》は仕《し》事《ごと》がないからすぐ｛年齢・就職・保険・経歴｝したい。

米《こめ》と｛申込・記入・通帳・差引｝に豆《まめ》が来《く》る。

けさの地《じ》震《しん》は相当《そうとう》の｛被害・確保・犯人・場合｝ある見《み》込《こみ》。

塩《しお》の｛至急・高価・登録・家庭｝のすまない方《かた》は早《はや》くして下《くだ》さい。

この｛意見・経済・生産・問題｝はもう解決《かいけつ》された。

供出《きょうしゅつ》の｛消費・金融・割当・放出｝をきめる。

適当《てきとう》な｛企業・措置・指定・提出｝をとる。

組合《くみあい》に対《たい》する｛政府・事情・講和・計画｝の方針《ほうしん》がきまった。

統制《とうせい》を｛上程・該当・機関・緩和｝する。

(七)

○父
- ひと
- おとうさん
- 子《こ》
- 兄《あに》
- おかあさん

警官
- あるく
- 役人《やくにん》
- 巡査《じゅんさ》
- 警告《けいこく》
- あいさつ

禁煙
- スリに御用心《ごようじん》
- ぼうしをとれ
- 静《しず》かにせよ
- ここからはいるな
- タバコを吸《す》うな

報告
- 広告《こうこく》
- しらせ
- ほうび
- 経過《けいか》
- 新聞《しんぶん》

調査する
- 手紙《てがみ》を出《だ》す
- かんがえる
- 役場《やくば》に行《い》く
- しらべる
- 巡査《じゅんさ》が来《く》る

希望
- のぞみ
- 将来《しょうらい》
- たのしみ
- 心配《しんぱい》
- 思《おも》いがかなう

修理する
- 理由《りゆう》をのべる
- 直《なお》す
- 着物《きもの》を着《き》る
- ならう
- やぶれる

廃止する
- 品物《しなもの》が来《こ》ない
- あるいてはいけない
- 病気《びょうき》になる
- やめる
- 出発《しゅっぱつ》する

交渉する
- けんかする
- 話《はな》しあう
- 訪問《ほうもん》する
- 汽車《きしゃ》にのる
- はじめる

価格
- 支払《しはらい》
- 資格《しかく》
- 買入《かいいれ》
- 統制《とうせい》
- 値段《ねだん》

維持する
- 期待《きたい》する
- ひとつしかない
- もちこたえる
- たすける
- 生活《せいかつ》する

現在
- いま
- 実際《じっさい》
- これからさき
- こんど
- 住所《じゅうしょ》

実施する
- ほんとうにある
- まもる
- とりしまる
- ほどこしものをする
- おこなう

協議する
- 賛成《さんせい》する
- きめる
- 力《ちから》をあわせる
- 相談《そうだん》する
- 会《かい》を開《ひら》く

領収する
- 受取《うけと》る
- 税金《ぜいきん》をおさめる
- 記入《きにゅう》する
- 金《かね》をかりる
- 占領《せんりょう》する

利潤
- ききめ
- 商売《しょうばい》
- もうけ
- うるおい
- 便利《べんり》

村民運動会

6月5日
10時-16時

青草村小学校校庭
雨天順延
青草村青年会

(例)このビラは何のしらせですか。

(答)
- 村会
- 運動会
- おまつり
- 卒業式
- 草かり

(問)この運動会は、五日に雨が降ったら、どうなりますか。

(答)
- 今年はやらない
- 雨が降ってもやる
- どうなるかわからない
- 天気のよい日にのばす
- ひと月のばす

大阪では、朝鮮からの引揚者中村三郎さんに百万円当った。娘さんから貰った小《こ》遣《づか》いで銀行から買った二枚の宝くじの中一枚が当ったもので、家の者にも知らせずしまっておいたが、出してみたら当っていたというので大サワギ、奥さんと娘さんとむすこさんの四人ぐらし。

(問1)百万円当った中村さんはぜんぶで宝くじを何枚買いましたか。

(答)
- 一枚
- 二枚
- 三枚
- 四枚
- 五枚

(問2)その宝くじはどこから買いましたか。

(答)
- タバコ屋
- 大阪
- 娘さん
- 銀行
- 中村さん

十八日午後十時ごろ品川区大崎一ノ三八四山田栄吉方で一むね十一坪を全焼、電熱器の不始末らしい。

(問)上の文章は何のことをいっていますか。

(答)
- 火《か》事《じ》
- 土《と》地《ち》
- 料《りょう》理《り》
- たきび
- 停《てい》電《でん》

東京都内十七の職業安定所に押しかけた求職者は四月中に三万余で、前月より一割の増加だが、求人は逆に減る一方で、まとまったのはわずか二〇%、五月は一そう深刻で、三日の某職業安定所の窓口には赤ちゃんを背にした婦人などまじえて約二千名の失業者群が早朝から長い列をつくっていた。

(問1)上の文章は何のことをいっていますか。

(答)
- 結婚《けっこん》がまとまる
- 配給《はいきゅう》の行列《ぎょうれつ》
- 子供《こども》の育《そだ》て方《かた》
- 賃銀《ちんぎん》をあげる要求《ようきゅう》
- 仕事《しごと》がなかなかみつからない

(問2)三日とは何月の三日のことですか。

(答)
- 前月
- 四月
- 五月
- 来月
- 某月

(問3)約二千名は、どういう人たちのならんでいる列ですか。

(答)
- 東京都民
- 職業安定所の役人
- 男女
- 仕事をみつけたい人たち
- 赤ちゃんをおぶった人

(八)の二

東京都立看護《かんご》婦《ふ》養成所《ようせいじょ》生徒募集

一、受験資格　甲種　高等女学校卒業者又はこれと同等以上の学力ある二十五才以下の女子

乙種　小学校高等科卒業者又はこれと同等以上の学力ある二十五才以下の女子

一、修業年限　甲種　三年

乙種　二年

(問1)今年高等女学校を出たばかりの十八才の人はこの試験を受けることができますか。

(答)
- できない
- できる
- 三年前ならできた
- もう七年まではできる
- 聞いてみないとわからない

(問2)小学校の高等科を出ただけの人は、この養成所へ入ってから卒業するまでに何年かかりますか。

(答)
- 八　年
- 六　年
- 五　年
- 三　年
- 二　年

今年の米の収穫は、天候不順のため、相当の減収を免れまい。したがって、それに対する方策を誤るならば、そうでなくてさえ不安定な世相を一層悪化せしめるおそれなしとしない。

(問1)相当の減収を免れまいとはどういうことですか。

(答)
- 米の収穫はかなり減りそうだ
- 米の収穫はあまり減らない
- 米の収穫は多いほどよい
- 米の収穫が減っては困る

(問2)それとは何をさしますか。

(答)
- 今　年
- 方　策
- 減　収
- 世　相

(問3)そうでなくてさえとはどういうことですか。

(答)
- 米がとれなくても
- 来年になっても
- 天候が不順でも
- 米がふつうにとれても

(問4)世相を一層悪化せしめるおそれなしとしないとはどういうことですか。

(答)
- 世の中はこれ以上悪くならない
- 世の中はもっと悪くなるかもしれない
- 世の中をこれ以上悪くしてはならない
- 世の中がもっと悪くなっても心配ない

結果として仮名が書けなかった者が一・七％、漢字が一字も読めない者を加えて二・一％で、日本の非識字率は二・一％、識字率は九七・九％であるとされました。ユネスコが識字運動を行なっていますが、識字力が有りと判断するか無しと判断するかの境目は国によっていろいろ相違があって、自分の名前が書ければ識字力がある、と判断する国がかなりあります。戦後私が、昭和二三年から横須賀の清泉女学院に教えに行っていたときのこと、基地のアメリカ兵が来て写真を撮るけれども名前の書けない人がいっぱいいると、そこの写真屋の親父さんが言っていました。

もしもアメリカで日本のこれと同じ程度のテストを同じように厳格に行なったらば、どれだけの結果を出したでしょう。これだけの精密なテストを行なった識字力調査というのは世界に例がないと思います。ところが、このテストで満点を取った人は四・四％、不注意で間違えたのではないかという人で満点と認めてもいいという人が一・八％で、合わせると六・二％が満点であると報告されています。ということは、全国ではおよそ五〇〇万人が満点だったわけです。

一方で全然漢字の読み書きの出来ない人が一六二万人いました。いまから五〇年前の話です。①小学校に行かない人、②小学校中退の人、③小学校卒業、④高等小学校（二年制）

卒業の人、この①②③④の間にはそれぞれに成績に顕著な相違があったと報告書にあり、教育の年数と文字能力との間には強い因果関係があると述べられています。

この調査の後、昭和二七年に私は、日教組による全国の小中学生の基礎学力調査に協力して、企画実施を手伝ったことがあります。数学のキャップは遠山啓《ひらく》さんで、国語は私と水谷静夫さんの二人が組んで、全国の小中学生に統一問題を課し、その結果を昭和二八年の正月、高知での日教組の大会で発表しました。

そのときに私はひとつおぼえました。算数も国語も、成績の悪い地域は両方とも悪いということ。そして当時貧乏だった東北と九州の成績が悪かった。そのころから朝日新聞は資産などいろいろなデータを合わせて民力というものを発表していましたが、民力の低いほうに出てくるのは、青森、岩手、秋田、山形、鹿児島、熊本、宮崎など、東北と九州でした。それは私たちの基礎学力の調査の結果と平行していました。先のＣＩＥの「日本人の読み書き能力」の調査でも、東北地方の成績が悪かったと報告書にあります。そして日教組の調査のときには、富裕な兵庫県芦屋の成績は東京を超えて最高であったということです。つまり国民の学力問題というのは、貧富の問題でした。

スクールという英語の語源をご存じでしょう。ラテン語のスコラです。その意味は

「暇」です。つまり「暇」がなくては行かれない場所です。当時の東北と九州では十歳ぐらいになると労働にかり出されて、学校に行けない子供が少なくなかった。学校は、休めばいい成績は取れない。しょっちゅう学校を休んでいて、いい成績を取る子供はほとんどない。小学校三、四年のころに学校に行けなかったとなれば、漢字を確実におぼえることはできません。つまり文章語の基礎が学べません。教育問題とは結局、富の問題、時間の問題であるとつくづく思いました。（ところがこのごろは、日本はひどく豊かになったのに、学校に行かないという事態が発生しています。それは別の問題でしょう。）

ところで、このＣＩＥの調査では平均点が全国で七八・三点でした。国民は新聞が読めないだろうという実態をはっきりさせるための調査であったのに、日本人の識字率は非常に高いものだったと判明した。アメリカ軍はこれを見て日本の漢字問題から手を引いてしまいました。問題を科学的に調査して判断を下すという、文明の初歩的態度がここに現われています。

ところがこの調査委員会は、程度の高いこの問題で満点が約五〇〇万人もいたのに、そうした数字はあまり世間に出さずに、ただ、漢字の読み書き能力が足りないと力説しました。そして、漢字をさらに制限しなければだめだと結論付け、カナモジカイとＲＯＭＡＪ

ＩＫＡＩは国語審議会を動かして行きました。

漢字を制限し、漢字を廃止すれば万事いいと考えたカナモジ論者、ローマ字論者は、この調査結果にそういう解釈を下して、教育を自分たちの思うほうへ持って行き、漢字の能力を国民から削いで行きました。従来小学校六年間で一三六〇字教えていた漢字を中学三年までで八八一字にしました。制限は字数だけでなく、音訓に及び、字体を変え、ルビの廃止を原則としました。副詞は仮名で書くという原則を立てたために、生徒は「僅かに」も「即ち」も「序でに」も「専ら」も読めなくなりました。これが後に学生の専門書を読解する力にどんな影響を与えるかというようなことは検討されなかったに違いありません。ただ漢字を殺してしまおう、追い出してしまおう、漢字に近づけないようにしようとしたのです。当用漢字による制限の結果は、まず文筆家に現われました。

文筆家にとって文章は、書き手が最後まで一字一句に自分の命がかかっているかどうかを大切にして、よし、とするものを印刷に渡すものだったと私は思います。ところが戦後、それが失われました。文章の書き手は、新しい仮名遣、新字体、新送り仮名、音訓の制限に馴染まないので、自分の書いた原稿を方式に合わせて整える仕事が負担で、最終的にはそれを出版社にまかせるのが一般的となりました。つまり何人かの鞏固《きょうこ》な文筆家を除いて、文章についての最終的な責任を著者は負わないことになったのです。一字一句、ここでこの字を使ったらいいか、この字だったらどうなるかという、言葉に対する必死の思いによって形をなしていた文章が、途中まで書いて、あとはよろしくと言って手離してしまうようになった。また新聞社は内閣告示の枠内に収めるために、筆者の表記や言葉を勝手に変更しました。

漢字の字種の数を制限し、音訓を限定することは、当初の新聞製作のためには便宜を与えたでしょう。しかし、文字・言語の組織を作為的に変更すると何が起こるかについて深い考えをめぐらしていたとは見えません。「ら致する」「らく印を押す」「り患する」「流ちょうに話す」。こうしたいわゆる新聞独特の混ぜ書きは、一八五〇字の枠を固く守りたいという立場からは当然のことだったでしょう。今もってそれは行なわれています。読めないと思うならルビを使えばいいのです。言語はただ道具として存在しているものではなく、物や事と即応する精神的組織です。精神を形成する組織を、訳のわからない形で強制的にいじることは、物や事を認識するはたらきを、実は深いところでいじることです。言語の体系が傷つくと、物や事をそれなりに組織的に動かし運用して行くはたらきに歪みが生じ、全体が雑になるのです。

人間は言語に無意識のうちに整合性を求めています。言語を単なる道具と見て、取りかえたり、削ったりすることは、世界把握の仕方に、空隙や食い違いを生じます。人間は一般に文法の話、あるいは細かい字形、用語の話は好きではありません。何かうるさいばかりの規則のように見えるからです。しかし実は、心の内部では文法にも、字形にも、語の表記にも、誰でもそれなりの組織を持っています。それは認識や推理という形で――いわゆるカンのはたらきをふくめて、心の中で無意識のうちにはたらいているのです。これは「大きい」と「大きな」の話のところでも触れました。人工的な不自然な事をすると、その心の底の機能が傷つくのです。戦後五〇年たってその結果が顕在化しました。中学三年までで八八一字という制限は、世論に押されて十年後には小学校六年までにと改められ、さらに十三年後には九九六字と改訂されました。しかし、音訓の制限、ルビの廃止、副詞の仮名書きなどの制約は引き続いて行なわれた。こういう教育漢字の体制で教育をうけた少年少女は、後にどうなったか。

（質問13）

戦後、漢字制限をしたということは知っています。それは人々に広く知識を与えるのに役立ったといわれているのではないでしょうか。難しい言葉を制限して、人々に分りやすくした功績を認めるべきではありませんか。それに戦後の日本は奇跡的といわれる経済復興を成し遂げました。それはどうお考えなのですか。

難しい漢字を振りまわして、その一字を使っただけで満足するような書き手は戦前にたしかにいました。そういう骨董趣味的な用字・用語を排除したことはそれなりに評価すべきことだったでしょう。しかし、戦後の経済復興が漢字制限と関連するとは私は考えません。

占領軍の施策の中で、日本政府が主権を持っていたのでは決して行なえなかったろうと思うのは、占領軍による農地解放です。地主は小作人の生産した米の五割以上を、小作料として労せずして得ていました。その農地を小作人に解放したことは、農民を活気づけ、日本経済の活発化に大きな影響を与えたと思います。アジアで農地解放を行なったのは、日本と台湾だけであると聞いています。どちらも経済復興を成し遂げました。

それから工場労働に従事する人々の知的水準が一般的に高かったことも重要です。先に見た通り、かなり高度の日本語の問題を、平均的に見て高い点数を得るほどの力を、当時の労働層——三〇歳から四〇歳の層は保持していました。新しい機械を導入しても直ちに説明書を理解消化して運用できる素地があった。

私は一九八一年に南インドに留学しましたが、同じホテルにいて親しくなった日本の製靴会社の駐在員は、工程の半分だけ仕上げた靴を作って日本に送るための技術指導が仕事でした。彼は労働者が仕事を理解しなくて困るとこぼしていました。二〇年前のことで今は当然改善されているはずですが、当時はタミル州の隣りのケララ州が識字率三五％で南インドで最も高かったのでした。労働の遂行力と識字率の関係をここに見ると思いました。戦後の日本の経済復興を成し遂げたのは、戦前に基礎教育をうけた成人層であって、決して戦後の教育をうけた人々ではありません。

日本経済の復興は、一九五〇年の朝鮮戦争の勃発によって特別な軍事関連の需要が生じるなど、東西の冷戦の谷間にあった日本の条件がいろいろな点で有利に働いた結果であることを見逃すことはできないでしょう。

戦後の歩みの中でまだ他にも原因はあるでしょう。ここでは、改革された言語の教育がどんな風に進行し、どんなことが生じて来たか、私の見るところをお話ししましょう。

国字改革は一つの破壊でした。その結果、日本語を規範として大事に学習する気風が崩れて来たということがありますね。また、昭和二十年代の、ある時期のことですが、「でも・しか先生」という言葉がありました。それは「先生でもするか」、あるいは、「先生しかできない」という先生のことなのです。

当時は就職難の時代で、たやすく就職できないということもあって、しょうがないから先生でもやるか、まあ先生しかできない、といった意味でした。というのは、公立学校の先生の職に一度就けば、身分は保証されて、ふつうに働いていれば簡単に失職したりはしません。そういうことで教職に就く人が多くいました。戦後の出産ブームで児童の数が一時的に増大して、教師が足りないということもあったのです。その頃、職員会議の席で、机の下に経済の新聞を拡げて株の値段の上がり下がりに気をとられている先生がいると私は耳にしました。戦後、教育を、時間を売る労働と捉える人々がふえた。そう考える先生は、生徒に作文を書かせ、家に持ち帰って誤字を訂正し、批評を書き加えるという、戦前一般的だった仕事をしなくなりました。

当然、そういう先生ばかりいたはずもありませんが、「でも・しか先生」は、日本語がよく読めるようになりたい、よく味わえるようになりたい、いい日本語が書きたいという心からの願いを持っていなかったでしょう。本当の教育の心構えのない先生には、「あれはおもしろい作品だったよ」といったような話を子供に語る姿勢はなかったでしょう。そうした先生に習った子供が、日本語に馴染み、言葉を大切にする姿勢を身につけるようになるかといえば、かなり疑わしい。

現在、日本では学術出版を主として来た出版社は本が売れないので頭を悩ましています。ある私立大学の購買部の書店の主人の話によると、一九七〇年頃から大学生が専門的・組織的に書かれた書籍を読まなくなり、買わなくなったということです。これについて少し調べてみると、大学によって多少の早い遅いがある。一九六五年頃、東京の私大Wの学生が、同じ下宿にいた別の私大の助教授から、「うちの学生は君のようには本を読まなくなった」と言われたそうです。別の人の話でも、W大学の学生の間では一九七七年にはまだ読書熱がさかんで、自分の出た大学と較べてその相違に驚いたということでした。しかし、一般的には東京大学の安田講堂占拠が機動隊によって排除され鎮圧された後の一九七〇年頃が一つの区切れ目であるようです。それは、戦後に生れて、新教育、教育漢字で育てられた中学生たちが大学に進む頃です。その大学生たちが古い型の政治の運用に集団的に反対を表明しても、権力の代表である警察力に結局敵し得ないという挫折感が広がったこととも結びついているかもしれません。

いずれにせよ、その人たちは記憶力の強い少年期に少ししか漢字を、つまり語彙の基礎を与えられていない。しかし組織的に、論理的に書かれた戦前、戦中の論文や学術書の用字・用語は別に一般に書き改められたわけではないから、研究者が普通のつもりで使っていた漢字でも学生には理解できないものが次々に現われた。先にも触れましたが音訓の制限で、副詞は仮名で書くと決めたから「ようやく」「もし」「かくて」「すでに」など使用度の高い言葉を仮名だけで書いてある教科書で習って来た学生は、「漸く」「若し」「斯くて」「既に」とあれば読めない。その一つ一つを辞書で調べる手順も分らない。学生が次第に書物から遠ざかりはじめた。

教育漢字を決めるに当って、単に生徒の負担を軽くするという点だけが強調されて、これが日本語の読解力、ひいては日本人の文明の把握力にどれだけの影響を与えるか、もし失うものがあればそれを補うどんな方策が必要か、そんな風にカナモジカイ、ROMAJIKAI、あるいは文部省では考えていなかった。ただ漢字の力を削げば成功とだけ見ていたのではないか。

一方では、テレビが急速に広まりつつあって、連日連夜お笑いや芸能が茶の間のテレビに現われる。それは人をひきつけようと魅力のある画面を提供する。またコマーシャルのしきりな挿入は個々人の想像や推理の展開を中断し、持続的思考をさまたげます。これが重なると少年少女の知的、感情的な発達に大きく影響するはずです。その上、一九七〇年頃から日本経済は次第に回復から繁栄への道を歩み出し、逸楽の風が広まりはじめました。

古来、芸能を楽しむのは一年のうち限られたほんの少しの祝日とか休日だけでした。ところが、落語、漫才、歌謡、さらには人殺しが連日連夜、画面に現われる。チャンネルを廻していれば、何かお笑いや刺戟がある。それに時を過ごす。大宅壮一がテレビについて「一億総白痴化」の道具と言ったのはすでに一九五六年十月のことで、テレビ放送が始まって三年目のこと。テレビの視聴が日常化するにつれて、その影響は非常に濃くなりました。

日本語に詳しくなったのは一般の人だけでなく、言語学者、文学者もその中に入って来たようです。明治時代に育った言語学者、たとえば、朝鮮語の小倉進平《おぐらしんぺい》、アイヌ語の金田一京助、満州語の藤岡勝二《ふじおかかつじ》といった先生たちは、朝鮮語、アイヌ語、満州語の専門の研究をいろいろされたけれども、それだけではなかった。日本語について、かなり詳しく研究していた。ずっと後のことですけれども、小倉先生の大学の卒業論文をたまたま長男の小倉芳彦さんから見せていただいたことがあります。それは日本語についての詳しい研究でした。金田一先生の日本古代語の文法に関する講義を私は聴講履修し、その単位をとりました。藤岡先生は、日本語の文法的特徴十五項目を挙げ、それとアルタイ語とを比較しました。このように、この方たちはみんな日本語を若いころに一所懸命勉強している。それと並んで外国語をやっていました。現在の若い言語学者は、日本語についてどれほど知識を持っているのでしょう。

われわれは皆日本語が話せるし、新聞も読める。母親のお腹のなかにいたときも、生れてからもずっと日本語を聞いて、三歳になり四歳、五歳になったときには、もう一通り分り、一通りしゃべれる。もちろん難しい言葉は知らないし、難しい内容は分らないけれども、日本語の基本的な構造は、はっきりと頭のなか、心のなかに入っている。そういう言語を母語といいます。

小さいときから、このように日本語を母語として育ったから日本語ができる。しかし、言語学あるいは文学の研究者という以上は、母語を改めて認識しなければならない。日本語をもう一回まな板の上に乗せて自分で見直すことが必要です。そのためには、現代語の新聞が読めれば日本語は分っている、というのでは足りません。少なくとも明治時代なら明治時代の言語を勉強してみるとか、あるいは、江戸時代の作品を読んでみるとか、何か一つ別の時代の、現代とは体系の違う日本語を丁寧にやってみる必要があると思うのです。それによって現代語がつかめて来るのです。

私は、こんなことを聞きました。ある出版社が、近代文学の作品集の出版を企画して、それに注をつけることにした。当然、その研究者とされている大学の先生方に、いろいろ割り振って注を書いていただこうとした。一語一語、この言葉はどういう意味か、これはヨーロッパ語の何の翻訳から来た言葉か、当時、今と違って、どんな用法があったか。そういうことを一つひとつ吟味して行き、それを注に書くわけです。注釈とは、そういう仕事なのですが、編集にかかわった一人の先生の話では、専門家と称される若手の先生方に注釈をお願いしてみると、注が期限内にできて来ない。続々遅れてしまう。のみならず、できて来たものを見ると、その注が、ほとんど全部『広辞苑』の引き写しだったものがあったそうです。『広辞苑』は言葉と事柄とに関する箇にして要を得た辞典ですけれども、それをそのまま写している原稿があったというのです。

文学の言葉は、ほんのかすかなニュアンスによって、文脈にあやを生じるでしょう。またたった一語によって、会話をやりとりする人物の感情が読み取れるというものでしょう。辞典を引き写して足りるとする姿勢では、それはできない。つまり、まともな注も書けない文学研究者がかなりいるという事態になっている。もしあと十年もこれがつづいたら、日本文学を専門とする学者でも実は日本語をよく知らないという状況が、きっと生じるだろうとのことでした。

言葉を一つひとつ、きちんと理解して行くという努力がなかったなら、作品を正確に理解できない。また物事をよく認識できない。このように専門家でさえも日本語について詳しくなくなってきている。

ここで、私は言葉と事実の認識との関係のお話をしたい。

最近、こんな話を聞いたのです。このごろ女子中学生が妊娠するというケースが少なくない。その生徒たちは、たいてい、私は子供を産みたいと言うそうです。周囲が心配して、中絶する以外にないのではないか、今子供を産んで育てるのは無理だからと言う。最初は従っても、すぐまた妊娠してしまう。すると、私は中絶はごめんだ、育てるのだと言って、育てようとする。親たちがいろいろ苦労して、結婚させる。ところが、中学生段階で子供を持ってしまうと、相手もそれほど年が行っているわけでもないから、そういう夫婦は、たいてい二、三年たつと衝突して、結局離婚することになってしまう。このような中学生が現在、少なくないということでした。

どうしてそうなったのか、その人たちは何を考えているのか。少し様子を聞いてみようと、ある新聞の記者が妊娠出産した中学生たちにインタビューを試みた。そこで一つの共通したことに気づいたそうです。それは、自分が相手を、どんなふうに好きだったからこうなったのだとか、自分はこう生きたいのだとか、これからはこうしていくつもりなのだという、事柄の成り立ち、進行状態、自分の将来について、何も語れないことがその中学生たちに共通していたというのです。

うまく語ってくれないから、記者が次々に質問して、その答えを求めざるをえなくなる。そうすると、「うん」とか「ううん」といった答えはするけれども、それ以上のことがない。自分がやっていることが何なのか、それを自分ではっきり言葉にして捉えることができないという話でした。その中学生は人間として自然な欲望・衝動のままに生きているだけで、自分の意思、見込み、事態の把握がない。明確に認識していないことを、言葉にはっきり表現することはできない。

こうした中学生に類似したことは、日常的にわれわれ自身にも起こっています。サッカーの試合がある。鮮やかなシュートが一直線にゴールに突きささる。ネットを揺らす。自分の眼に明確です。しかし、それを蹴ったのは右足だったか、左足だったか、と聞かれると答えられない。シュートした選手の周りに何人いたのか。言えない。ところがサッカーに詳しい人だと、Xがシュートしたとき、周りにはA、B、Cの三人がいた。Xは瞬間的にAの方に寄ると見せて、逆に左足で蹴ってキーパーの虚をついてゴールしたなどと、個々の状態を理解し、覚えている。それが言葉にできる。私など一直線のボールの速さだけしか覚えていない。正確に認識できていないことは、言葉にすることができないのです。

事実の認識力の低下は、最近の事件によく示されています。たとえば、大きな銀行が三つ合併しました。ところが、コンピューターが初日から動かない、あるいは、誤作動してしまう。二五〇〇万件間違えたと発表されました。三つの違ったコンピューターのシステムを使っている三つの会社が合併して、一つのシステムに統合するときには、どういうことが起こりうるか、それにはどういう手を打たなければいけないか。責任者は必要な予行テストも満足に行なわなかった。この合併は二年も前から予定されていて、合併の日付まで決まっていた。それにもかかわらず、この事態が生じた。それは物事をきちんと見て、起こりうる事実は何なのかを認識する力がなかったこと、真実に誠意を以て対処する心が欠けていることを示すでしょう。新会社の首脳は勢力争いにかまけて、コンピューターの状況に具体的に対応しなかった。しかも、そのあと一カ月にわたって、何が原因であったかも予測も言えなかった。現在の状態の説明もしない。三カ月たって、その銀行のＡＴＭでは依然としてトラブルが起きて、顧客を怒らせている。当事者は責任を負うべき事実を直視せず、むしろ隠蔽しようとする。

ＢＳＥ（狂牛病）の問題についても同じ対応の仕方が見られる。イギリスで症例が出て、それが何によるものかが、大体分ってきた。こういうものを食べさせてはいけないということも分った。その通報は日本の行政当局にも来ていた。それにもかかわらず、お役人は、その種の飼料の使用を禁止せずに、注意報だけ出した。お役人は事の重要性を認識できなかった。そして、混乱が生じた。しかも、その問題の発展として、和牛は廃棄しなければいけないとなったときに、自分の手持ちの外国産の肉を和牛と偽って、補償金を儲けたという話が次々に明かされました。専門的なことは分りませんが、衛星の打ち上げも失敗した。超音速飛行機開発のためのロケット打ち上げの実験も失敗した。ウランをバケツで運んでいた。原子炉の罅《ひび》割れ事故を十年にわたって隠蔽した。

つまり日本人のトップクラスのはずの人々ですら、原子力とか電子技術とか、現在の世界に共通の、精密を必要とする組織的な行為を正確に把握してそれに対処し、仕事を遂行することができない。Aということが起きたら次にBが起こる、Cが起こる。それに対して、どういう処置をとらなければならないかを予見できない。予見には、まず、組織的にその事実そのものを認識することが必要です。

ここに挙げた事例が相ついで生じたのは、現在の日本人が事実を的確に、正確に把握する力に欠けて来た、事実とか真実に対する誠意が足りない、因習として虚偽と隠蔽が優先するという状態を示しています。現在の日本人は、お笑い演芸と安逸に心を奪われて時を過ごし、何がおいしい、何処の店がおいしいとテレビの報道を追いかけているうちに、今日の世界の精密・正確を必要条件とする文明を消化して生きて行く力を欠きつつある。

このような最近の社会現象に現われた、文明の正確な、精しい理解、把握力に欠けた日本人の行動は、私の見るところでは、実は日本語を正確に、的確に読み取り、表現する力の一般的な低下と相応じていると思うのです。先の中学生の話、サッカーの話に見るように、事を精確に把握しなければ、的確な表現は不可能です。そしてまた言語の能力が低く、単語の数が貧弱では、文字を通して事態を精確に理解も表現もできないということがあります。大学生の読書離れの底には、今日の社会生活に必要な言語能力が、高校までに養われていないという現実があるでしょう。

（質問14）

文明を把握する力と言われますが、日本の文化、文明というものをどんなものと見ておいでなのですか。

最近井上ひさしさんが鎌倉で夏目漱石について講演されて、「現代日本の開化」という漱石の講演を引用なさったそうです。私も明治四四年の漱石のその講演を引くことをお許し願いたいのです。長いので所々を抜き書きします。

漱石がここで「開化」といっているのは、明治時代に世の中の合言葉として使われていた「文明開化」と同じ意味です。

「現代の日本の開化は前に述べた一般の開化と何処《どこ》が違うかと云うのが問題です。若《も》し一言にして此《この》問題を決しようとするならば私はこう断じたい、西洋の開化(即ち一般の開化)は内発的であって、日本の現代の開化は外発的である。ここに内発的と云うのは内から自然に出て発展すると云う意味で丁度《ちょうど》花が開くようにおのずから蕾《つぼみ》が破れて花弁が外に向うのを云い、又外発的とは外からおっかぶさった他の力で已《や》むを得ず一種の形式を取るのを指した積《つもり》なのです。」

「粗末な説明ではあるが、詰《つま》り我々が内発的に展開して十の複雑の程度に開化を漕ぎつけた折も折、図《はか》らざる天の一方から急に二十三十の複雑の程度に進んだ開化が現われて俄然として我等に打って懸ったのである。此圧迫によって吾人《ごじん》は已むを得ず不自然な発展を余儀なくされるのであるから、今の日本の開化は地道にのそりのそりと歩くのでなくって、やっと気合を懸けてはぴょいぴょいと飛んで行くのである。開化のあらゆる階段を順々に踏んで通る余裕を有《も》たないから、出来る丈《だけ》大きな針でぼつぼつ縫って過ぎるのである。足の地面に触れる所は十尺を通過するうちに僅か一尺位なもので、他の九尺は通らないのと一般である。」

「日本の開化は自然の波動を描いて甲の波が乙の波を生み乙の波が丙の波を押し出すように内発的に進んでいるかと云うのが当面の問題なのですが残念ながらそう行って居ないので困るのです。」

「それでは子供が脊《せな》に負われて大人と一所に歩くような真似をやめて、じみちに発展の順序を尽して進む事はどうしても出来まいかという相談が出るかも知れない。そういう御相談が出れば私は無い事もないと御答をする。が西洋で百年かかって漸《よう》く今日に発展した開化を日本人が十年に年期をつづめて、しかも空虚の譏《そしり》を免《まぬ》かれるように、誰が見ても内発的であると認める様な推移をやろうとすれば是亦《これまた》由々しき結果に陥るのであります。」

「今言った現代日本が置かれたる特殊の状況に因《よ》って吾々の開化が機械的に変化を余儀なくされる為にただ上皮《うわかわ》を滑って行き、又滑るまいと思って踏張《ふんば》る為に神経衰弱になるとすれば、どうも日本人は気の毒と言わんか憐れと言わんか、誠に言語道断の窮状に陥ったものであります。私の結論は夫丈《それだけ》に過ぎない。ア、なさいとか、斯《こ》うしなければならぬとか云うのではない。どうすることも出来ない。実に困ったと嘆息する丈で極めて悲観的の結論であります。こんな結論には却《かえ》って到着しない方が幸であったのでしょう。真と云うものは、知らない中《うち》は知りたいけれども、知ってからは却ってア、知らない方が宜《よ》かったと思う事が時々あります。」

「分らないうちこそ研究もして見たいが、斯《こ》う露骨に其《その》性質が分って見ると却って分らない昔の方が幸福であるという気にもなります。兎《と》に角《かく》私の解剖した事が本当の所だとすれば我々は日本の将来というものに就《つい》てどうしても悲観したくなるのであります。外国人に対して乃公《おれ》の国には富士山があると云うような馬鹿は今日は余り云わない様だが、〔日露〕戦争以後一等国になったんだという高慢な声は随所に聞くようである。中々気楽な見方をすれば出来るものだと思います。ではどうして此急場《きゅうば》を切り抜けるかと質問されても、前《ぜん》申した通り私には名案も何もない。」
（「現代日本の開化」明治四四年十一月十日『朝日講演集』）

漱石はロンドンに留学して、西洋の文明を目の当りに見た。開国三〇年に過ぎなかった故国日本の実情を顧みて、彼は必死になって、西洋をつかもうと書物を読み漁《あさ》った。その結果、彼我の文明の相違、大差を認めざるを得なかった。彼は「極めて悲観的の結論」に達した。「西洋の開化」を彼は「即ち一般の開化」といい、それと当時の「日本の開化」を比較している。漱石はヨーロッパを見る眼から日本の文明を見て、西洋の開化に出会うまでの日本を「内発的に展開して十の複雑の程度に開化を漕ぎつけた折も折、図らざる天の一方から急に二十三十の複雑の程度に進んだ開化が現われて俄然として我等に打って懸った」と述べている。果たして内発的に日本人は文明を開発して来たか。

私は東京の深川の商家の生れで育ちです。このことはもう何回も書いているのですが、中学に入って山の手の生活を目の当りにするようになり、下町と山の手の相違が心に明らかになりました。高等学校に入ると、それが日本と西洋という対立の構図に発展しました。ヨーロッパと日本とは何故こんなに違うのか。

それを解くには二つの道が考えられた。漱石のようにヨーロッパに飛び込んで、何とかしてその本質を把え、日本と較べること。もう一つはそれと別に、まず日本とは一体何なのかをはっきり自分で見定めること。それによって、ヨーロッパとの相違の由来を日本の側から見つけ出そうとすること。私は日本から行くという道を選びました。

私は大正八年(一九一九年)の生れです。ですから昭和の年号と学年が同じで、昭和二年には小学二年生、昭和六年には六年生であったわけです。小学六年生のときに満州事変、その翌年に上海事変、五・一五事件が生じ、中学四年生のときには二・二六事件、高等学校に入ったときに、中国に日本が攻め込み、ヨーロッパではドイツが戦争を始めました。私が大学の一年生のときに日本はアメリカと戦争を始め、昭和二〇年に敗戦。そして、戦後の混乱。それを通して私は生きて来た。私はそれを全部見て生きて来ました。

私が少年のころ、われわれを動かしていたいくつかの条件があります。時代は天皇制の時代です。天皇に対する忠、親に対する孝。忠と孝が社会を動かす基本的な倫理として、厳然とありました。戦後、その天皇制は否定され、チュウコウといっても、今の学生たちは何のことか分らず、ネズミのことではないかと思ったりするでしょう。しかし、われわれの時代には忠と孝というのは行動と価値判断の規準でした。

これもすでに書いたことがあるのですが、当時は「日本精神」という言葉が一般に広く使われていました。すなわち日本には独自の日本の文化があり、「日本精神」というものがある。それが天皇を中心とした日本のあり方についての最も基本的な考えでした。日本精神と言っているものを見ると、「禊《みそぎ》」とか「御稜威《みいつ》」とかの言葉があり、「天皇陛下の御稜威により」という言い方がしばしば使われていた。しかしその中身はよく分りませんでした。私は私なりに日本というものを理解したい。どこかに日本というものの根拠があるだろう。それをはっきり知りたい。その方法として、日本のいちばん古い文献、『万葉集』から始めて、『古事記』『日本書紀』を読み、そこから日本を理解しよう。

後になってはっきり分って来たことは、これは江戸時代のいわゆる国学と同じ行き方なのでした。そして国学の到達した主張の根本に本居宣長という人がいる。本居宣長は、「日本とは何か」という問いを出した人です。その答えを見出す道を教えた人は賀茂真淵です。「それは『古事記』に書いてある。『古事記』を読むべきである」。真淵は『古事記』研究の前段として、『万葉集』研究に一生を投じた人です。宣長は三五年をかけて『古事記』を解読した。それまで『古事記』を全部読めるようにした人はいなかったのです。

宣長が到達した見解では、日本という国は、中国とも違う、インドとも違う。本居宣長の目の前にあった外国は中国とインドでした。日本はそれとは違うのだ。日本は天地開闢《かいびゃく》以来、天皇家の先祖がずっと統治してきた。これは中国にもない、インドにもない、日本独自のことである。これこそが日本という国なのだ。だから、日本という国は独自の国なのだ。そう言ったのです。その考えは徳川時代の末に天皇を尊ぶ尊皇思想を引き起こし、政治を動かす力に成長し、徳川幕府を倒すという行動へ発展しました。

これは、ある意味で非常に注目すべきことだと思うのです。日本人が内発的に日本について研究し、それが公にされて、人々がそれを見て、たしかにこういうことがあると思った。そして、その考えを承け入れた人々が当時の政治の世界に加わって行き、幕府を倒した。こういうことは、日本では例がなかったし、それ以後もない。借り物に依らず、日本人が日本について研究したことにもとづいて、日本人の判断が動いて行ったという意味では、これは画期的なことだったのです。

宣長の言う所は広く受け入れられ引き継がれた。日本という国は独自な国なのだ。だから、明治開国以来、日清・日露と戦争に負けたこともない、と一般の国民は思い込みました。戦後に育った人々にとっては何とたわけた考えと思われるかもしれません。しかし当時の大多数の人々が心の底で支持していたのは、そういう考えだったのです。

日本は中国に侵攻し、さらに仏印に進駐しました。アメリカは日本への石油輸出を全面的に禁止し、軍事的活動の根を絶とうとした。日本の軍部は対アメリカ・イギリス開戦を決意し、断行しました。海軍は「半年ならばもつ」と言っていたのだそうです。陸軍は緒戦の結果に酔って「ワシントンで降伏の誓いを立てさせる」などと言っていました。実力を知らないものの言葉です。戦争は、世界を知っている一部の人が危惧していたように、敗戦降伏によって終局しました。

私は戦争とどうかかわったか。それについて、ひとことお話ししておきます。学生時代にかかった肋膜炎につづく病歴があり、私は徴兵されませんでした。ずっと内地にいて、アメリカの艦載機の機銃掃射を受けたこともあります。鳴り渡る警報、爆撃、倒壊、炎上、火の嵐、いろいろありました。なんにせよ、都市では食糧が足りませんでした。戦争末期に私にとって一つの事件が起きました。それは橋本進吉先生の栄養失調による逝去です。痩せ細った遺骸を前にして、私の一生は決まりました。「古代日本語を明らかにしたい」という先生の遺志を少しでも果たさなければならない。私にどれだけのことができるか、もちろん分らないけれども、死ぬまではつとめよう。その時から、戦争も敗戦も戦後の混乱も私にとっては景色になりました。

私は古代日本語に打ち込んで行きました。『万葉集』や仮名遣の研究に没頭しているうちに、『広辞苑』初版の基礎語一〇〇〇語の執筆という仕事が舞い込み、それが『岩波古語辞典』へと広がり、重ねて『万葉集』と『日本書紀』の注釈の仕事に恵まれました（日本古典文学大系）。『源氏物語』の単語の意味を吟味しつづけ、合計二〇年かかって『岩波古語辞典』が出版されたとき、私はすでに五五歳でした。

その地点で私の行く先は見えなくなっていました。「日本語はどこから来たのか」が分れば、日本という国の由来、「日本とは何か」の答えに近づくはずだと、研究しつづけて来た。自分なりの工夫もし、力も傾けましたが、その答えは簡単には出なかった。それは明治時代以来、答えの出ない宿題であったのです。

ところがたまたま、一九七九年にオクスフォードの『ドラヴィダ語語源辞典』を手に入れてからのことは、すでにお話ししました。タミル語に出会ってみると、漢字文献以前の日本語がかなり見えて来て、あとはこれを秩序立てて詳しく述べればいいと、心はいくらか晴れた思いでした。しかし、さらに進んで行くと、ことは簡単ではなくなりました。

私はここで文化と文明とを区別したいと思います。文化という言葉によって文明を含めて表現するのがむしろ一般的で、文化と文明の区別は普通は明らかに認識されていません。しかし文化と文明を区別することは非常に大事です。

しばしば日本文化と言う。するとその代表としてすぐ「わび」とか「さび」ということが出てきます。「さび」はもともとサブという動詞の発展的な使い方ですが、日本で独特の展開をしたのです。これは本来は何なのか。

日本という国が地球上に存在している状況は、まず北緯三五度の線の南北にわたる島国で、周りは海。モンスーン地帯で雨が多い。気候は温暖で、ひどく寒いとか、ひどく暑いということはない。しかも春夏秋冬、朝昼晩と微妙な変化をする。その自然とわれわれがつき合っているつき合い方のなかから出てきたもの、つまり日本という自然からつくり出されたものが「わび」「さび」です。これをわれわれは日本文化の象徴として教えられました。これはインドに持って行くこともできなければ、ヨーロッパに持って行くこともできない。ハワイに持って行っても、「わび」とか「さび」は通用しない。われわれが日本文化と言っているものは、このように実は日本の地球上の位置から生じる地方的な一つの特性にすぎない。このことは和辻哲郎の『風土』から学びました。

文明を文化から区別することは伊東俊太郎先生から学びました。文化とは地球上の位置が持つ自然に伴って生じる地方性である。それに対して、文明とは、広く生産に関係する技術、精神世界に関する思考の体系。世界中どこにでも持って行くことができ、広がって行くことができる。世界に共通するもの、技術と論理、それが文明です。

鉄をつくる技術はヒッタイトから始まり、ヒッタイトの崩壊とともに、その秘密の製法が世界に広まった。レントゲン線がドイツで発見されれば、その技術は世界中に広まる。テレビができれば、世界中の人間がテレビを見たがる。その技術は世界に広まる。金属の利用はモンスーンがあろうと無かろうと、関係なしに行なわれます。機織《はたおり》の技術も世界に伝わりました。お米は自然条件に制約されているけれども、条件がかなうところには広まっていく。そういうものが文明です。

タミル語と日本語とが密接な関係にあることが分った後、文明に関する単語に目を向けると、次表のように日本語とタミル語との間に対応語があることが判明しました。ここには分りやすい単語を選んで掲げます。

〈耕作地〉　ハタケ（畑）タンボ（田んぼ）アゼ（畦）クロ（畦）ウネ（畝）
〈作物〉　アハ（粟）イネ（粟・稲）ワセ（早稲）
〈食品〉　コメ（米）ヌカ（糠）カユ（粥）モチ（餅）
〈金属〉　カネ（銅・金属）
〈機織〉　ハタ（機織・旗）オル（織る）ウム（績む）
〈道具その他〉　スキ（鋤）ワラ（藁）ホ（穂）

（詳しくは『日本語の起源　新版』または『日本語の形成』を御覧下さい。）

ここに出て来た単語に当るモノまたはコトはいつからあったか。例えば「水田の稲」などは日本に初めからあったように『古事記』には書いてある。「葦原《あしはら》の瑞穂《みずほ》の国」として、本居宣長はそれを信じた。しかし、すでに考古学が明らかにしたように、右の表にあるすべては紀元前四〇〇年以降、つまり弥生時代に日本に現われた。縄文時代には水田稲作などは見出すことができない。しかし、これらのモノやコトは、紀元前一〇〇〇年にはタミルに存在する。だから、タミルの文明と言語とが弥生時代以後に日本に到来したと考えるべきである。

例えばカステラ、ボーロ、パン、ジバン、タバコ、カルタ。これらのモノはポルトガルからもたらされたから、ポルトガル語のまま日本語に入った。アイヌ語でメシ(飯)、ムキ(麦)、マメ(豆)、イモ(芋)、アンツキ(小豆)というが、これらのモノは日本からアイヌ社会に入ったから、日本語のままアイヌ語の中で使われている。それと同じことが今から二四〇〇年前、縄文時代の最晩期に、日本に生じた。右に表示したものはタミルから日本に入ったから、タミル語が日本に定着した。

日本語にとってのカステラ、ボーロ、あるいはアイヌ語にとってのメシ、ムキなどは、言語学では借用語といいます。モノと共に、その名詞を受け入れるからです。しかしタミル語と日本語の場合、単なる部分的借用とはいえない。先の表の内容は、広く耕作地・作物・食品・金属・機織にわたり、それに関する動詞もある。それだけではない。カミ(神)もマツル(祭る)もハラフ(祓ふ)も、およそ日本人の精神史の中軸をなす祭祀の単語もタミル語に数多く発見された。そしてタミルには日本と同じように、姿が見えず、酒食を供えれば来臨し、人間に禍福を与える神がいたことも分って来た。そのことは祭祀の基本型が輸入されたものであることを意味する。

なおタミル語との間には次のような動詞にも対応が見られます。

アガム（崇む）アク（明く）アソブ（遊ぶ）アツム（集む）アフ（合ふ）アラフ（洗ふ）アルク（歩く）イク（行く）イフ（言ふ）イム（忌む）イル（射る）イル（入る）ウク（浮く）ウツ（打つ）ウヤマフ（敬ふ）オソル（恐る）カガム（屈む）カタル（語る・騙る）カル（刈る）クネル（曲る）コフ（乞ふ）サカユ（栄ゆ）サバク（捌く）……

こうした基本的動詞だけでも一〇〇例以上ある。形容語についても、次にその一部を挙げましょう。

アツ（厚）アハ（淡）アヰ（藍）アヲ（青）イカ（如何）オホ（大）カラ（辛）クロ（黒）シロ（白）スクナ（少）ツヤ（艶）ハヤ（早）ヒロ（広）フト（太）……

これらの単語の存在はタミルと日本との深い関係の一つの証左です。

私はこのタミル語に出会うまでは、日本の学芸、宗教は漢字の輸入以後こそは中国文明の大きな影響のもとにあったけれど、それ以前の日本は日本人が自分で作り出した文明を自分たちで生きて来たのだと思っていました。ところが、その漢字以前の日本の文明、つまり生産技術、祭祀、歌謡などが輸入品であったことがはっきり見えて来たのでした。

漱石は西洋文明をロンドンで見て、日本の開化は十までは内発的であったが、二十、三十のヨーロッパの開化が押し寄せて来たと考え、「どうすることも出来ない。実に困ったと嘆息する丈《だけ》で極めて悲観的の結論であります」と述べている。私は日本の内部をたどり、古くへ古くへと進んで行って、内側から日本の正体を見ようとして来た。言語としての日本語の由来が見えたと思ったとき、ことはそれだけでなく、日本文明は十までも内発的に創造されたものではなく、実はすべて輸入品なのだ、日本人はすべて輸入品によって生きて来たのだという事実に出会いました。

そして、今度はヨーロッパの文明と向き合い、これをどのように受け取るかという課題にわれわれは直面しているわけです。これも文明の輸入である。

（質問15）

では、文明の輸入国である日本には何が欠けているとお考えですか。

私は自分に言い聞かせました。お前の生れて育った日本という国は、独自とか何とか言って来たけれど、さかのぼって行ってみると、基本的な文明はすべて輸入品にたよって生きて来た国だった。縄文時代はさておき、文明の第一の輸入期は弥生時代である。水田稲作・金属使用・機織・祭祀・歌謡の五七五七五七……七の形式、これら日本の社会生活の基礎となった文明は、この時期に輸入された。第二期には漢字漢文という文字組織によってはじめて儒教・仏教・法制・医学を輸入した。これは知的体制の変革であった。われわれが学生時代、和辻哲郎の『古寺巡礼』を片手に奈良を歩き、精巧な彫塑、力強い造形を喜んだのは、みな飛鳥時代以降輸入した仏教に付随する芸術、あるいはそれの伝承であった。第三期としては明治以降、ヨーロッパの学芸・技術と法律その他一般。つまり、憲法はドイツ、オーストリアの立憲君主制の形に倣い、民法、刑法はフランス、ドイツのそれを直接翻訳した。科学的な生産の技術は産業革命以後のヨーロッパに倣った。浮世絵などの芸術品がわずかにヨーロッパに影響を与えはしたが、日本は「文明開化」の合言葉のもとにヨーロッパ化することを目標とした。そして最近になってから世界的な科学の場で、わずかに世界に共通な思考、あるいは製品を産出するようになった国である。

だからといって、私は漱石のように「極めて悲観的の結論であります」と述べて終わることを欲しません。漱石は、「真と云うものは、知らない中《うち》は知りたいけれども、知ってからは却ってア、知らない方が宜《よ》かったと思う事が時々あります」と言っている。しかし人間は生み落されて育った場の真実を、すべて条件として甘受する以外にない。

だとすれば相手の卓越した所は何なのか。自分の弱点あるいは欠けた所は何なのか。それを見定めて、自分の弱点を克服しようと努めるのが自分の仕事になります。

思い当ることがあります。これはすでに『日本語をさかのぼる』に書いたことなのですが、「学問」を何と言うか。英語では、socio-logy（社会学）、psycho-logy（心理学）、eco-logy（生態学・環境学）と、logy という言葉を使う。これは logos という言葉の直系です。インド・ヨーロッパ語族に共通する logos の祖形をE・クラインの『英語語源辞典』によって求めると、logos は leg という語根から発展したものとある。leg の最初の意味は「取って集める」(gather, collect) こと。また、「つまみ出す、選ぶ」(pick out, choose）こと。（語を選ぶことから）「読む、唱える」（read, recite）こと。このようにクラインは書いています。ここから「言う、語る、話す」へと発展する。ロゴスはさらに、言葉、会話、論述、計算、思考、理性などの意味へと展開した。legという語根はcol-lect（集める）、se-lect（選ぶ）、e-lect（人を選考する）にも現われ、lec-ture（講義）、lex-icon（辞書）では言葉という意味です。

つまりロゴスの意味は、「手に取って集めること、選び出すこと、言葉を選ぶこと、言葉の筋を立てた論述から、論理へ、理性へ、学問へ」と展開しています。これは私が日本語と向き合うときに、「学問・研究」の正しい方法と思って心懸けて来た手法、研究の実際的進行そのものです。それを、インド・ヨーロッパ語では、祖語の段階からギリシャ語までの間にすでに行動として具体的に歩んでいた。それでこの言葉がある。

これに対して、日本語では「学問する」ことをマナブという。マネブともいう。真似をすること。日本では真似をすることが学問の本質とされて来たわけです。ここに文明を作り出して来た集団と、文明を輸入することが常に第一である集団との、行動と言語の様相の相違がはっきりと見える。「言葉」は正直に「人間の行動」、あるいは「認識」、「事実」を反映します。ヤマトコトバにはロゴスに当る言葉がない。それは日本に科学が長い歴史の時間を通して、ほとんど発達しなかったことに対応する言語的事実なのです。

二つの集団の文明の落差がはげしい時には、卓越した文明を保つ集団の文明だけでなく、言葉まで相手の集団に滲透して行き、それを圧倒することが起こります。ローマ人がガリアと呼んでいた地方（およそ今のフランス、ベルギーの地域）にはケルト語が使われていました。ところがローマのカエサルによってガリアが征服され、ローマの文明が押し広がって行った。ローマの文明は軍備といい、政治組織といい、学問芸術といい、ケルト語の人々を圧倒するだけの、豊かな、整った文明でした。ケルト人はそれを受け入れた。それに伴って当時の卑俗ラテン語がその地域に着々と広まって行った。ケルト語には長母音が無かったので、ラテン語の長母音は受け入れられなかった。このように発音についてはケルト語の要素が残ったものもある。しかし語彙と文法は卑俗ラテン語に同化して行った。こうしてフランス語が成立した。これなどは、タミルの文明が日本より格段に進んでいたから、その文明だけでなく、言語まで日本を巻き込んだのと同じ経過です。

これらの例を見れば、江戸時代の国学者が日本の独自性をもっぱら主張したのは、日本という海洋の中の島国に生じた特殊な地方性を、独自性と見誤ったものであることが分ります。われわれ日本人は主要な文明をすべて輸入品に頼っており、それを多少修飾して生きて来た。それと表裏をなす事実として、ロゴス的志向・ロゴス的行動に欠けて何千年と来た。現在もそれは変わっていない。この二つを忘れてはならない。

先にお話ししましたが、日本語の形容詞は古来から客観的世界の表現にタカク、ヒロクのようにク活用形容詞を使った。しかしク活用形容詞は精細に発達することはなく、古い、大まかの把握のままの体系で時を過ごした。日本人は物事を客観的に、精細に、自分の目で見て組織的に把握する力が強くない、むしろその力を欠いている。それがこの言語的事実にも現われている。

しかし情意を表わすシク活用の形容詞は変化に富み、それなりに展開して来た。それは、日本人が、情意、あるいは感受性において豊かであることを示すといえるでしょう。情意に関する表現に日本人が長《た》けていることは、『万葉集』以後の日本の文学を各時代に渡って読めば誰しも認めるところ。これは日本人の大きな特色であり、優しい心づかいを人間相互が交換して生きることは人間世界で非常に重要なことです。ことに今日の世界の成り行きを見ると、アメリカは物理学、工学という文明の行きつくところとして原子爆弾を発明し、生活の利便のためには多くの二酸化炭素を出しつづけ、その制限を拒んでいます。これは生物としての人類そのものの将来に大きな暗雲としてのしかかるものです。何万発の原子爆弾を保有しているから自分たちが有利だ、いざとなればシェルターに逃げ込めばいいと思っているごとき、全く愚かそのものであり、本当の意味で包括的に世界を把握するはずの理性に反することは明らかです。日本人が和をたっとぶ心を保持しつづけることは重要な意味を持っています。

感受する力に長じている日本人は古来和歌を愛し、それの発展として俳句を創造した。その俳句の特性は、客観世界を鋭くとらえて短い一句に仕立てるところにある。ここには芭蕉が「白し」と表現した句を並べてみましょう。

あけぼのやしら魚白きこと一寸
海くれて鴨の声ほのかに白し
石山の石より白し秋の風

ここに白魚の客観的描写として「白し」がある。我々はその感覚に同感する。また「鴨の声」「秋の風」を「白し」と表現したのは、描写がいわば象徴に至ったもの。これらは世界の一瞬を感受して永遠の相に至る造形といえるでしょう。日本人はこのように一瞬の景を自然の底にとどく鋭い感受性をもって受取り、表出することをよしとします。しかしそれはどこまでも一瞬の視線による造形であって、世界を一つの組織体として綜合的に見渡すという行き方ではない。やはり全体を組織的に見るロゴス的思考は欠いてはならない。つまり事実を徹底的に重んじる精神、真実に誠意をもって対する精神を、確実に日本人の基底に据えて文明に向き合う必要がある。それは最も基本的に、「物事をじっと見る」ことから始まると私は考えています。日本人は「物事をじっと見て」、全体像を組織的に把える習慣を欠いている。

もとより、日本人が全く文明に向き合う力を欠いていると言っては誤りになるでしょう。漢語が日本語の中に多数入っているのも、飛鳥時代、奈良時代以後、遣隋使、遣唐使を派遣し、そのたびに隋、唐に朝貢して、留学生、留学僧を彼の地に置き、多数の書籍をはじめ文物を購入して隋唐の学芸技術を学んだ結果です。そうした優越した文明に対応するために日本人は漢語を学習し、漢文を、それまでに成立していた日本の言語の文法的仕組みに従って訓《よ》む文体、つまり漢文訓読体が、学問を中心として連綿として続いた。それが明治以後にまで連続したことは、先にお話しした通りです。

これはヤマトコトバだけでは学問の世界に入れないことを知った人々の創始した、文明との応対の一つの道であったといえるでしょう。それでも日本人は客観的世界をじっと見て、それをまとめて行くという姿勢が基本的に確かでない。いくつかの例をあげます。

世界を見渡し世界を把握することをいう、「世界観」という言葉があります。これはドイツ語の Weltanschauung の訳語です。Welt は世界、anschauung は anschauen という動詞の名詞形で、「じっと見ること」です。anschauen は an と schauen の複合語で、an はそこにじっと着いていることを表わしますから、schauen(見る)と組んで、じっと全体を見ることとです。

ここで世界観の「觀」という字を分析してみます。藤堂明保《とうどうあきやす》さんの見解にもとづくと、こんなこととです。吅(カン)は口二つから成る。口をそろえて声を立てること。それと、隹(とり)と艸(くさ)との合字が雚で、水鳥が声をそろえて鳴く意。「權」という字は雚を含みますが、これは左右にそろった重さのものをかける、はかりの棒。「顴」(カン)は左右にそろったホホボネの意を表わす。したがって「觀」は左右見くらべてよく見ること、觀察、觀測などと使う。こう見ると、「觀」がドイツ語の anschauung と意味がよく合っていることが分ります。

ところが学生は「世界カン」と聞いて、およそは「世界を見る見方」くらいの意味であることは分るようです。しかしそれを書くとなると「世界感」と書くことが多い。私は何回も実例に出会いました。彼らは「世界観」と馴染まない。学生たちには「観」という言葉の意味がしっかり認識できないのです。「観」とは仏教でも使う言葉で、私もよく分っているということはできませんが、「観」と「感」では全くちがうことは分ります。うす暗くても闇でも感じることはできる。しかし暗くては比較してじっと見ることはできないでしょう。

それを「世界感」と書くのは、日本人が感じることに傾いていて、物を鮮明に、組織的に見較べてよく見るという行為を一般に得意としていないこと、つまりロゴス的思考、ロゴス的方法の欠乏を反映しています。

物を細かく見るというと、小さい重箱の隅をほじること、ただ部分だけを細かく見ることだと思う日本人が多い。本を読んで誤植が二つあったなどと得意になっている人もいる。もちろん誤植誤記は絶対にいけない。しかし私は次のような経験をもっています。

大学の卒業論文の審査です。学生の論文の誤字をいちいち指摘して印しをつける先生がいました。実に入念に論文を読んでいるように見えます。ところがその論文の採点の話し合いに入ると、その教授と評価がひどくちがう。論議を交わして行くと、実はその人は誤字だけ直して、論文の主旨を読みとろうとしていない。とどのつまりは「論などというものは、どうでも立てられるもの」という話でした。それなら、論の立て方の可否を評価すべきでしょう。これは論述を読む姿勢とはいえません。学生はあとで返された自分の論文を見て、先生は実に丁寧に読んでくださったと思うでしょうが。

これも、物事を組織として把握しようとすること、全体像を「じっと見る、比較して見る」ことがおろそかな例です。

日本人は日本語の問題というと、すぐ「美しい日本語」という。「美しい日本語が読みたい」、「美しい日本語を話したい」。もちろん、美しい日本語も大事です。しかし現在の日本にとって大切なのは、そうした感受に傾いた日本語の使い方ではなくて、正確な日本語、的確な日本語、文意の明瞭に分る日本語を日本人一般がもっともっと心掛けるべきだということです。そして事実を第一に重んじること。真実に対して誠意を持つ行動を貫くこと。それが文明を把握する力、文明を消化する力、いわば文明力と対応する。漢文訓読体という文章は文明に向き合おうとする意志によって維持されて来ました。それが敗戦後の言語政策によって壊されて行き、人間の理と情という両輪の一方が国民として脆弱《ぜいじゃく》になり崩れて来たと私は見ています。

（質問16）

言語と文明とは別のものではなく、対応するものだということは分りましたが、これからの日本はどうすべきなのか。具体的な仕方を示して頂きたいと思います。

将来を考えるには、結局現在の教育をどう進めるかが肝腎だと思います。事実、今日の教育の状態は問題です。「ゆとり教育」を行なうのだということで、土曜日を休みにしてしまった。いろいろな科目の授業を減らし、言語に関しても授業を削りました。その結果、どうなったか。イギリス、ドイツ、フランス、アメリカなどと較べて、日本ほど母国語と外国語とを含めて言語教育の時間の少ない国はない。日本は言語教育に、各国のおよそ半分に近い時間しか与えていないのです。ゆとり教育は、フランスでやったことがあるそうですが、その結果は失敗だったといわれています。アメリカでも、州によってはやったところがありますが、これも成功したとはいえない。

そういった例があるにもかかわらず、公立学校で土・日曜日連休にしたのは、教師は地方公務員に準ずる存在である、企業でも五日制である、だから休みを与えるべきだという決定がまず先にあった。それを理由づけるために、後になって「ゆとり教育」とか、授業科目や授業時間が多すぎるということを言いだした。

日本の学校の現場では長い間一学級の生徒の数を五〇人でやって来ました。そして五〇人に満たない学級があると、その学級を合併していました。私は三五人の私立の高校のクラスを二年間教えたことがありますが、はじめこれは五〇人よりもずっといいと思いました。ところが実際に教えてみると、三五人でも多い。もっと減らさなければいけないと思ったのです。自分が生徒たちと付き合って、宿題を出してその答案を見てやり、直してやったりすることを考えると、三五人でも多すぎました。アメリカでは二〇人学級を十八人にしようという動きがあるそうです。そういうことを考えても、日本の学校の学級編成が、いかに教師に多くの負担をかけているか、生徒一人にかける時間が少ないか、教師に無理なこと、できないことをさせているかが分ります。

私が学級の人数を減らすべきだということを書いたところ、文部科学省のお役人から手紙が来ました。それには、二〇人どころか、三〇人にしただけでも、全国の予算は九八〇〇億円かかる、と書いてありました。「あなたが言っていることは、無謀なことなんですよ、できないことなんですよ」という意味だと思います。けれどもたとえ九八〇〇億円、一兆円かかるとしても、これは現在の世界、ひいては将来の世界で日本が生きて行くための大事な基礎教育です。それを五〇人でやっているのでは、もうだめなのだとは考えてい

円　正六角形

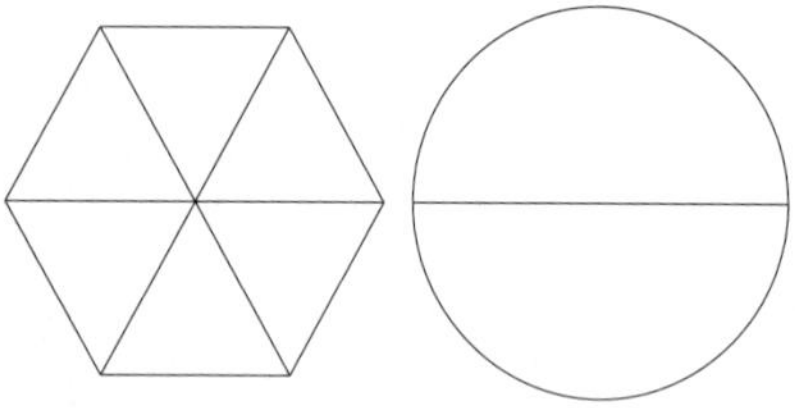

ない。一兆円が必要なら、一兆円の予算を獲得するために、文部科学省は国民に訴え、財務省に訴え、国会に訴え、その予算を取るために努力すべきではないか。総理大臣は義務教育の費用をいま以上に削れと言っているらしいが、その誤りをつっこむべきです。

結局、ゆとり教育だと言って時間を減らしたために、内容を易しくすることを考え出した。その一例を言えば、円周率は三・一四と教えずに、小数点以下を省いて、三でいいとしました。

もちろん、数学者たちからいろいろな意見が出ています。円周率が三ということは、円の直径と円周との比が一対三と扱うことです。ここで正六角形を書けば、その外周は、正六角形の一つの頂点からその中心を通って向かい側の頂点までを結んだ直線の三倍になります。ということは、円と正六角形とが、ある意味で同じなのだということを表わしているわけです。そういうことをやっていていいか。最近になって、反対のあまりの強さに、文部科学省は三・一四でもいいと言い出した。何たる無定見。権力の乱用とはこのことです。四、五年もたつとお役人はどこかへ転任して消えてしまう。しかし教育は国民の認識力の基礎を養い、長くはたらく機能です。教育の現場ではその不足をつくろうための努力が行なわれ始めている。が、これは本末を転倒した、とんでもない間違いだと思うのです。

日本語教育上の具体的な方法については、私はすでに一つ提示しました。それは迂遠に見える方法です。かつて『日本語練習帳』で示した「文章の縮約」の訓練です。

具体的に、新聞の社説を四〇〇字原稿用紙に収まるように縮約する作業を私は提案しました。それを実地になさった方もある。しかし、しない人が少なくなかったでしょう。それがどんな意味を持っているかを、あえてここで説明することにします。

縮約は、原文をおよそ三分の一、または四分の一にすることが有効なのです。要旨をとるのとは別です。縮約の文章を書くと、原文の漢字を写すわけで、まずこれはいわゆる書取りの練習になります。単語を確実に記憶することに役立つ。意味の分らない言葉は辞書をひく必要が生じます。

私は縮約の中に段落をつけることを求めました。段落をつけることは、相手の文章という組織を分析してはじめて可能なこと、そしてそれをまとめて秩序づけることです。これは、漢文、またその訓読体の文章を扱わなくなった結果、現代人に失われて来た思考の組織的組み立てを別の手段で行なう訓練です。そしてこれを繰り返すうちに、新聞の社説の文章には記述の順序のわるいものがあることを見抜けるようになり、いらない繰り返しもしばしばあることが読み取れるようになるでしょう。

私は四〇〇字から一字あふれてもいけないという条件をつけました。その縮約の作業は、簡潔的確な表現を否応なしに要求します。そして一字縮めるためには、どこか一字の余りはないかと、自分の文章を何度も読み返す。そのうち、短い別の表現に変えれば一字または二字減らせることに気づく。そのためには別の言いまわし、類語の表現の知識が必要です。その力を養うには多くの読書が必要だとさとるでしょう。

また、私は一行足りなくてもいけないと条件をつけました。縮約とは、要旨を箇条書きにすることではありません。縮約は一つの文章としての形をなすことを求めているのです。原文に含まれている事柄の、捨て去った部分を復活させることで、短い自分の文章に肉付けがいくらかでもできることに気づくでしょう。

読書感想文をむやみに書かせることに私は賛成しません。少年少女は、まず感想を書かされると思っただけで、読書を楽しむ気持を失います。感想文で入選、入賞した文章を見て御覧なさい。大抵、特殊な経験をもっていた生徒が作品の主題と出会った結果、見事に書くという、偶然に左右された優越です。一般の子供は、自分の境遇や経験の平凡さをあじけなく感じるに終わるでしょう。ところが縮約は誰でも作品そのものと対峙して、誰でもが等しく相手を把握する作業です。もし時間があったら、一度書いた縮約を半分に、(四〇〇字ならば二〇〇字に)縮めて御覧なさい。頭は緊張して働かなければならないでしょう。縮約は二人で組んで行なうといい。相手の縮約を見ることによって、自分の結果の批評を受けることになる。相手が巧みなときには、なるほどと、自分の読みと表現の及ばなかったところを反省するでしょう。

文明の話と思っているのに、何とたわいのないことを言うのかとお考えでしょう。しかしこの作業を軽く見る人は、文章の推敲、作品の彫琢ということを知らない人です。ミケランジェロはヴァチカンのあの大きな天井画を描き上げた後、それのこまかい修正、手入れに三年をかけたと聞いています。素人はどこを直したのか分らなかったといいます。ミケランジェロには天井画全体の構図や、彩色のバランスが心にあって、全体の像の観点から細部に手入れをつづけたにちがいありません。

細部を見て、全体の組織を見ない例として、『源氏物語』の研究をあげることができます。

『源氏物語』の研究として毎年何百本の論文が書かれているそうです。それを覗くと、夕顔物語とか、夕霧物語、あるいは浮舟物語の研究という種類の論文題目が数々あります。それはその部分だけを見てこまごまと引用し、論述しているものです。つまり作品の部分を見るだけです。

『源氏物語』は桐壺から始まって、五十四帖を費やして、宇治十帖の主人公、浮舟が夫である薫との面会も実弟との出会いも拒否して終わるという構成を持つ、一貫した物語であり、その全体を通して宮廷の女房の目から見た大臣や高位の人の動き、そこに取り込まれて生きた女性たちの、一生を貫く憧憬と、歓びと、挫折を描きあげた構造をもつ作品です。その組織を把握せずに、部分だけをこまごましく扱って、ひとかどの論文とすることは、『源氏物語』という作品を全体として書き上げて死んで行った作者の脇を素通りすることになるでしょう。

作品の理解にはもちろん、一語一語に対する細心の対応が必要です。紫式部という類稀れな才能は、何気ない言葉づかいの裏に深い意味、深い悲しみ、人生に対する洞察をこめています。それを感受しなくてはなりません。しかし部分だけに心を注いで、この物語の組織に目を向けない研究者を、作者は空しく感じるにちがいない。

ここで日本人の日本語の能力が現在どんな状況にあるか、言語の訓練が実生活の上でどんな結果をもたらすかの例をあげましょう。

経済情報誌の「読み・書き・数学」という特集を引用します。（注3）

愛媛県の自動車販売会社の話です。社員の研修が行なわれています。それは六カ月の通信講座です。はじめに三日間の合宿を行ない、社員一人一人に誓約をさせて、六カ月の訓練に対する姿勢を確かにする。最後の二日間の合宿では反省の項目を点検する。その六カ月間に、一〇〇冊の指定書の中から毎月六冊を選び、それを読んだ感想を書き、営業上の必要な知識についての報告論文を作成し、事例研究、商業用の手紙を練習する。会社は新入の社員から部長級に至るまで、社員二〇〇名すべてが順次このコースに参加することを求めました。

この会社は四年前までは赤字続きであったが、一人当り二五万円の経費を要するこの研修を毎年つづけた結果、その費用をはるかに上廻る黒字会社に転換したという。その会社の重役さんの話では、社員同士の接触あるいはお客との間に生じるトラブルが、社員の知識の不足、言語能力の欠乏に原因の一つがあるのを見て、この言語訓練を中心とする研修の実施に踏み切ったとのことです。

この六カ月のコースは、読み方、書取り、外来語、ことわざの理解と使用、単純な暗算を基本に据えています。

例えば書取りでは、①事件のリンカク　②世論をソウサする　③範囲をイッダツする、などの通常の語彙、毎月五〇題。外来語、ことわざの理解と使用には、①ニッチ(niche)　②ロジスティクス(logistics)　③インセンティブ(incentive)、など毎月一〇題と、①キヲミテモリヲミズ　②チニイテランヲワスレズ、などその意味と使用例の作成、毎月二〇題。暗算の計算では、①$100-52=$　②$1\div 0.5=$　③$\frac{4}{7}+\frac{1}{2}=$　毎月一五〇題、などです。研修の主催者は、いちいち採点して会社に返す。感想文や報告書についても誤字を訂正し、全体の批評をつける。この国語の書取りの問題の程度は先の「日本人の読み書き能力」のそれとほぼ同じです。

注目されるのは、最初の合宿の際に行なう第一回のテストの成績が、およそ半分位の点しか取れない、極めて低いものだということです。ほとんどの人が辞書をひく習慣を持たないことが分るという。

この作業に入る前の状態を見ると、小、中、高校、あるいは大学で、学校教育は何を生徒に与えているのだろうかと思わせます。この人たちに「日本人の読み書き能力」のテスト問題をさせたらば、それと並ぶ点数七八・三をとることは到底できないでしょう。つまりこの研修は、小中高大の先生方が生徒の身につけさせなかった基本を、補い、つくろい、平均的にひどく低下した国民の言語能力を養いかえす仕事をしているわけです。

こんなことが文明にどうしてかかわるかと思われる方が多いかもしれない。しかし、現在の日本の教育は、この程度のことも大学までかかって果たしていない。今や日本人は大学まで行っても一般的にこの程度の言語能力を確実に身につけていないのです。

この研修は、営業という事実に対する正確な理解を養成し、それに向かう態度を自覚させ、表現能力の基礎を確かにし、暗算による数の処理の最も初歩的な訓練をしています。それが会社の営業の結果を黒字に変化させる。

私はさきにロゴスの話をしました。ヨーロッパにはロゴスという言葉があり、それは語根legから発してギリシャの時代までに、「取って集めることから選び出すことへ。言葉を選んで言語にすること、そして思考の筋道をつけること。そこから話すこと、言葉、計算、さらに理性へ、論理へ」と展開していったことをお話ししました。

日本語にはそのロゴスに当る言葉がない。ということは日本人はそうした思考の展開、実地の研究を、国民的に少なくとも明治時代までは遂行する姿勢になかったことを示します。しかし、明治時代以後ロゴスの実践者は、自然科学の世界では現われるようになりました。

明治以後の日本人でロゴスを実践した人として、私はまず山極勝三郎《やまぎわかつさぶろう》、市川厚一《いちかわこういち》の二人を挙げます。この二人は世界で初めて皮膚癌を人工的に発生させることに成功しました（一九一五年）。この作業は、実は兎の耳にタールを連日ひたすら塗りつけることの繰返しでした。刺戟の反覆が癌の発生にかかわるという見込みをもったからです。そして遂に皮膚癌を発生させた。こうしてタールを塗ることを重ねるのは、言ってみればロゴスの「集めること」の一つの形です。

また私は鈴木梅太郎のビタミンB_1の発見を挙げたい。彼は精密な化学実験の繰返しによって、米糠《こめぬか》から有効な成分を抽出した（一九一〇年）。この発見は現在公認されているフンクの仕事より二年早かった。後に彼はイネの学名Oryza sativaにちなんでこれをオリザニンと名づけた。これは集めた材料からロゴスの意味する「選び出す」行為を丹念に繰り返した結果でしょう。

また湯川秀樹の中間子の存在の予言（一九三五年）を挙げましょう。原子物理学の進展は、実験と推理とによって原子核の構造を明らかにする作業と思います。

理論物理学における推理とは、論理によって構造の把握へと進展する作業であり、ロゴスの最終の段階に当る。中間子が存在するはずだという彼の予言は、一九四七年、宇宙線の中から実証され、ついで加速器を使った実験によって人工的に作り出された。湯川の仕事は物理学の仕事なのですが、湯川が日本、中国の古典を実によく読んで消化していた人であったことを私は忘れない。彼は漢文を広く読み、晩年は荘子、老子が面白いと言っていた由。また、国文は有朋堂文庫によって広く読んでいた。有朋堂文庫とは、日本古典文学大系が一般化する前には、文学作品をはじめとする日本人の著作を広汎に集めた一二一冊の全集として広く愛用されていた、わずかな頭注のついた本です。彼は義太夫節を師匠について稽古した。それについてみずから書いています。抜粋すると、

「中学生のころから浄瑠璃を、「書かれた文学」として親しんできた。中でも近松の浄瑠璃は、その後も何度か読み返し、彼の文章の二重構造が深層心理の表現に、どのような効果を発揮しているかという点に関心の焦点をおくようになった。しかし、浄瑠璃はたんに書かれた文学としてだけ鑑賞されるべきものではなかった。作者は最初か

らそれが節をつけて語られ、それにともなって人形が動くことを意識していたのである。したがって作者の側としては、節をつけて語られることによって、生きてくるような文章を作らねばならぬと同時に、節をつける側では作者の意図するところを十分表現するような節まわしを考え出し、選び出さねばならない。人間のさまざまな感情の動きと音声の高低・強弱の変化との間に関係があることは誰でも知っている。」

「特に日本では古くから語りものというジャンルがあって、文章に即した節づけがなされてきた。その最も発達したものが義太夫節であることは周知の通りである。一口に喜怒哀楽といっても、語りもので最も大きな比重を占めているのは、悲哀の感情の表現である。」

「このように一節一節の節づけが見事に出来ているばかりでなく、それらから構成される一段の全体を支配するムードを盛り上げるように、全体としての節づけが出来ている点をも見逃してはならない。浄瑠璃を聞くたびに私は、どうしてこのような異常な成功に、江戸時代の或る時期の人たちが到達するにいたったのか、不思議に感じるのである。」

（「浄瑠璃の不思議さ」日本古典文学大系月報、一九六五年四月）

以前この人のことを伝え聞いたばかりの頃、私は単に、湯川とは何でもできる人なのだと思った。しかし、ただ何でもできる人と見るのでは足りない。彼は言語的にも日本語について緻密な理解力を持っていた。併せて原子核の理論的構造を空《くう》に描き出す能力を持っていた。日本と中国の古典を包括的に読んでいることと、中間子の構想とが直接結びつくことはないでしょう。しかし、思考の底の底の部分で、言語の力と、物理学の構想力とが何かしら通じ合っているところがあると私は見ます。

ここに挙げた方々の世界に先駆けた科学的創造の姿勢こそが、文明を維持する力であり、その作業の集積の中から世界の文明を変革する大きな創造が生れ出る。文明といっても実はその基本は、「集める、選び出す、言語化する、論理化する」という行動にある。「組織としてものを見る」態度にある。その行動と態度において傑出した人を世に天才といっているが、天才はその集団が保持するロゴス的姿勢の水準から生れるものだと思います。ただし、ここで注意すべきは右に挙げた人々はみな戦前の教育を受けた人であり、漢文や漢文訓読文で育ち、明晰・的確・秩序を心がけて育った人々だということです。

もちろん、世界で文明を輸入した経験を持たない国があるはずもありません。しかし、日本は基本的文明をみな輸入品に頼って生きて来た国です。それが、戦後五〇年たった現在、文明を維持する力を失いつつある。正確さの喪失、真実に対する誠意の欠如がそれである。政治とは国という組織を運用する義務を背負う行為です。ところが物事を組織的に見る目の欠落から、現在の公共事業の仕組みの悪用が何を結果するかが見えず、政治屋たちは政府の事業を自分たちの食い物にして恥じない。議会は交渉、折衝の場であるとはいえ、虚偽と隠蔽と推理力の欠乏とがそこに瀰漫《びまん》するとき、そこには社会の弱体化、一国の文明の崩壊が待っている。そしてそれは言語能力の軽視、低下に相応じる。

私はさきにお話しした一つの自動車会社の営業の実績の向上に果たした、言語能力の再訓練に価値を認めています。その方法は迂遠であり、内容は初歩的です。しかし、これはロゴスに通じる道であり、こうした卑近な実践からしか日本の確実な将来はひらけないでしょう。

なお、これらの日本語の問題を考えるときに、英語教育をどうするのかという問いが必ず出て来ます。英語について、私はこう考えています。

今や交通と通信の急速な発達によって世界は狭くなり、世界の生活は一つになりつつある。生活が一つになれば、一つの言語が必要になる。英語は、その共通語の位置を獲得しつつある。英語は日本にカタカナ語として、またその省略形として続々と広まり滲透している。漢語のかなりの部分は、カタカナ語に取って代わられるに相違ありません。またドイツでさえ、ドイツ語で書かれた医学の論文は今や二流と見られるという。フランスでも英語で論文を書くことが広まりつつあるらしい。中東の政治家たちも英語で所信を表明している。これはアメリカの経済力、軍事力を中心とする文明が今日最も強力だという「事実」に支えられています。

ではアメリカの繁栄はいつまでも続くか。それは疑問である。すでにアメリカの態度の中に驕《おご》りと危険の徴候がはっきり現われている。極端にいえばアメリカの文明力が低下し、崩れて行く事態がないとはいえない。アメリカが没落する時が来たとして、世界の言語は次の文明の発信地の言語にたやすく移るだろうか。その点について、私はこう思います。たといアメリカが没落するときが来たとしても、その時までに英語は世界の共通語としての位置を全世界に確立し、その共通語としての英語による文献や資料は増大し、その力はたやすく衰えたり、亡びたりすることは起こらないだろう。ということは世界を相手に商業を営み、世界に通ずる学問を研究し、それを読み、書き、意見を交換するには英語の能力は必ず要求される。それはかなり先までつづくだろう。

そう考えると、英語の学習はそれを選択する生徒、学生に対して、現在より強化される必要がある。

だからといって、英語を「第二公用語」とするという論は誤っていると思う。公用語という以上、法律をそれで書くということです。英語が読めない日本人がその法律に違反して罰せられるという事態を認めるのでしょうか。それはあり得ないでしょう。

文部科学省の提案を見ると、それは日本語を低く、粗略に扱うことと平行して進んでいる。ゆとり教育と称し、算数、日本語の時間を減らし、それでいながら英語を幼児期から教える方がいい、などとすすめている。それは古来、文明をすべて輸入品に頼って生きて来た日本人の陥りやすい安易な発想です。本物はいつも外国にある。それを真似すればいい。

しかし明治時代の日本を切り拓いた人々を見ると、彼らはまず日本語ができた。漢文、その訓読の文章の理解も表現もできた。そして彼らが読んでいた、こなしていたヨーロッパ語の文献のリストを見ると、戦後の大学生のヨーロッパ語学習のなまぬるさと、能力の低さには目を蔽いたくなる。

そして今や文部科学省が、母語である日本語自体の学習を軽んじている。文部科学省はもっと言語教育について、誰に対しても日本語の鍛錬を強化するように、英語についてはその履修を選ぶ学生が確実に学べるように、双方ともに現在の倍の時間を割《さ》く体制を作るべきである。そのためには割愛すべき課目もあると思う。

人間は母語によって思考する。母語の習得の精密化、深化をはかることなくして、何で文明に立ち向かうことができよう。日本語能力の低下と日本の文明力の崩壊とが平行して着々と進行している実例は、すでに数々挙げました。アメリカ在住の日本人の話によると、日本語がよく出来ない日本人は、アメリカに滞在しても英語が出来るようにならないそうです。母語によって客観的世界を出来る限り精しく理解し、母語によって的確明晰に表現できる力を養わないで、外国語をうまく使おうとしても、可能であるはずはない。母語がよく使いこなせなければ、漱石のいう「上皮《うわかわ》」だけしか見ない、「上皮」のことしか言えない日本人に成り果てるほかはないでしょう。

そうした道へいつの間にか少年たち、少女たち、いずれは日本人全体をつれて行く考え方と仕組みを、私はそのままにすることに賛成できない。

注

五七ページ（注1）　古代ノルウェー語の例はC. D. Buckの“A DICTIONARY OF SELECTED SYNONYMS IN THE PRINCIPAL INDO-EUROPEAN LANGUAGES”, Chicago, 1949による。これについて寺沢芳雄教授の御教示を頂いた。

たまたま柳瀬尚紀氏とお話しする機会があったが、『オックスフォード英語辞典』に“step under.”とある由。もし「……の下に、踏み込む」という意だとすれば、「対象のもとに踏み込ん」で行くことになろうか。私にはよく分らない。いずれにせよ、ワカル、理解、分別、判断などとは異なる把握の仕方であるらしい。

七五ページ（注2）　この記述、主として『世界大百科事典』（日立デジタル平凡社）による。

二一七ページ（注3）　『週刊東洋経済』（二〇〇二年六月二九日号）所載。自動車販売会社は「愛媛トヨタ」。通信講座を実施する「アイウィル」社の厚意により、実際の一部をここに掲載する。

一五三ページ以下　著者の不注意により、テスト問題を誤って引用したことを高橋正樹氏の御注意によって気づいたので第二刷から訂正した。高橋氏に篤く謝意を表する。

あとがき

『日本語練習帳』の読者から、いろいろ質問を頂いたので、お返事の場として『図書』に「日本語質問箱」を設けたことがあります。ところが長い話になる大きな質問には紙面の関係でお答えできないことが分りました。そこで直接の対話でお答えをしようというのが本書の始まりでした。

編集と内容にわたって、鈴木稔さん、大野陽子さん、金子陽子さんに一方ならぬ助力を頂きました。また編集担当の山田まりさんには、原稿の整理から修正まで非常な面倒をおかけしました。

これらの方々の御援助によって、ようやく一書として体裁が整えられたのです。校正の終了を間近にして、あらためて厚く御礼を申し述べます。

二〇〇二年盛夏

大野　晋

大野　晋

1919-2008年
1943年東京大学文学部国文学科卒業
専攻―国語学
著書―『日本語をさかのぼる』
『日本語の文法を考える』『日本語以前』
『日本語の起源　新版』『日本語練習帳』
『学力があぶない』(共著)(以上，岩波新書)
『日本書紀』(共編・校注，岩波文庫)
『岩波古語辞典』(共編)『上代仮名遣の研究』
『仮名遣と上代語』『文法と語彙』
『日本語について』『源氏物語』
『係り結びの研究』『日本語の形成』(以上，岩波書店)
『日本人の神』『日本語の水脈』(以上，新潮文庫)
『源氏物語のもののあはれ』(角川ソフィア文庫)
『大野晋の日本語相談』(朝日新聞社)　ほか

日本語の教室　　岩波新書(新赤版)800

2002年9月20日　第1刷発行
2022年1月25日　第15刷発行

著　者　大野《おおの》　晋《すすむ》

発行者　坂本政謙

発行所　株式会社　岩波書店
〒101-8002　東京都千代田区一ツ橋2-5-5
案内　03-5210-4000　営業部　03-5210-4111
https://www.iwanami.co.jp/

新書編集部　03-5210-4054
https://www.iwanami.co.jp/sin/

印刷・精興社　カバー・半七印刷　製本・中永製本

ISBN 4-00-430800-3　　Printed in Japan

岩波新書新赤版一〇〇〇点に際して

ひとつの時代が終わったと言われて久しい。だが、その先にいかなる時代を展望するのか、私たちはその輪郭すら描きえていない。二〇世紀から持ち越した課題の多くは、未だ解決の緒を見つけることのできないままであり、二一世紀が新たに招きよせた問題も少なくない。グローバル資本主義の浸透、憎悪の連鎖、暴力の応酬——世界は混沌として深い不安の只中にある。

現代社会においては変化が常態となり、速さと新しさに絶対的な価値が与えられた。消費社会の深化と情報技術の革命は、種々の境界を無くし、人々の生活やコミュニケーションの様式を根底から変容させてきた。ライフスタイルは多様化し、一面では個人の生き方をそれぞれが選びとる時代が始まっている。同時に、新たな格差が生まれ、様々な次元での亀裂や分断が深まっている。社会や歴史に対する意識が揺らぎ、普遍的な理念に対する根本的な懐疑や、現実を変えることへの無力感がひそかに根を張りつつある。そして生きることに誰もが困難を覚える時代が到来している。

しかし、日常生活のそれぞれの場で、自由と民主主義を獲得し実践することを通じて、私たち自身がそうした閉塞を乗り超え、希望の時代の幕開けを告げてゆくことは不可能ではあるまい。そのために、いま求められていること——それは、個と個の間で開かれた対話を積み重ねながら、人間らしく生きることの条件について一人ひとりが粘り強く思考することではないか。その営みの糧となるものが、教養に外ならないと私たちは考える。歴史とは何か、よく生きるとはいかなることか、世界そして人間はどこへ向かうべきなのか——こうした根源的な問いとの格闘が、文化と知の厚みを作り出し、個人と社会を支える基盤としての教養となった。まさにそのような教養への道案内こそ、岩波新書が創刊以来、追求してきたことである。

岩波新書は、日中戦争下の一九三八年一一月に赤版として創刊された。創刊の辞は、道義の精神に則らない日本の行動を憂慮し、批判的精神と良心的行動の欠如を戒めつつ、現代人の現代的教養を刊行の目的とする、と謳っている。以後、青版、黄版、新赤版と装いを改めながら、合計二五〇〇点余りを世に問うてきた。そして、いままた新赤版が一〇〇〇点を迎えたのを機に、人間の理性と良心への信頼を再確認し、それに裏打ちされた文化を培っていく決意を込めて、新しい装丁のもとに再出発したいと思う。一冊一冊から吹き出す新風が一人でも多くの読者の許に届くこと、そして希望ある時代への想像力を豊かにかき立てることを切に願う。

（二〇〇六年四月）